ma
grossesse
mois par mois

le guide vraiment pratique

Des conseils sur :
• le suivi médical
• l'accouchement
• l'accueil du bébé

*Un guide
pour vous aider tout
au long de la grossesse,
de la conception
à la naissance !*

ma grossesse
mois par mois

le guide vraiment pratique

PRÉFACE DU DR MICHEL RAMI
GYNÉCOLOGUE-OBSTÉTRICIEN

SOLAR
EDITIONS

Préface

C e livre, qui traite de la grossesse, de l'accouchement et des premiers mois avec Bébé, est destiné au grand public, les futures mamans et leurs compagnons.

I l est plein de conseils pratiques, d'explications brèves et claires, de pense-bêtes pour les futurs parents. Vous y trouverez un guide diététique, des définitions précises concernant la physiologie et les diverses pathologies, les différentes étapes de la grossesse et des astuces pour allaiter. Il vous raconte les événements un peu comme le feraient les sages-femmes lors de vos rencontres avec elles. Vous n'y trouverez pas (et heureusement) un traité médical d'obstétrique, dont vous n'avez nul besoin.

C e livre vous incite subtilement à vous faire confiance. Vous n'avez jamais «appris» à accoucher et pourtant vous savez le faire ! La nature vous a dotée d'un organe extraordinaire, l'utérus, qui permet à l'œuf de nidifier, le protège, le nourrit pendant 9 mois et le poussera vers la lumière lorsque le moment sera venu. Quand survient la première contraction, c'est que Bébé est prêt : c'est maintenant, et rien ne peut plus arrêter le travail ! Et vous verrez que vous savez accoucher, même sans connaître la «théorie».

Q uant à votre bébé, lui, il «sait» naître ! Naître est un exploit que nous avons tous réussi, mais que nous serions bien incapables de réitérer. Nos crânes durs ne peuvent plus s'adapter au tunnel à franchir et notre résistance à l'apnée est ridicule par rapport à celle d'un fœtus…

M aman sait accoucher et Bébé sait naître. Le rôle des professionnels se borne à accompagner ce moment d'exception et à remettre le bateau dans le droit chemin lorsqu'un mauvais vent le déroute.

C e livre sera sans nul doute un bon compagnon pendant les 9 mois de cette grande aventure !

Michel Rami
Gynécologue-obstétricien

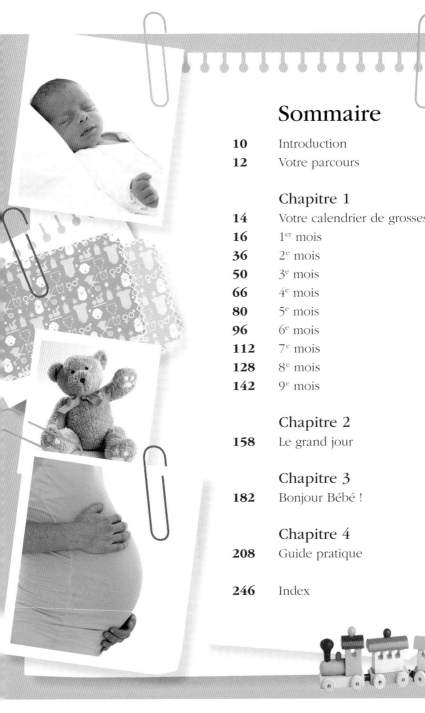

Sommaire

TROUVER SON CHEMIN

LA GROSSESSE EST UNE AVENTURE ! Elle débute à votre insu et se termine par l'un des plus beaux jours de votre vie : celui de la rencontre avec votre enfant, un événement qui va transformer votre existence.

VOTRE PARCOURS est jalonné de nouvelles expériences : le suivi médical, les échographies, les cours de préparation à l'accouchement, sans oublier les changements qui interviennent dans votre apparence et la découverte d'un vocabulaire jusqu'alors inconnu… Les relations avec vos proches sont parfois mises à l'épreuve, mais n'en sortiront que renforcées.

LA GROSSESSE EST UNE VÉRITABLE TEMPÊTE HORMONALE : pendant neuf mois, votre corps se transforme et s'adapte, vous passez de l'euphorie à l'épuisement, puis vous retrouvez un regain d'énergie pour préparer l'arrivée du petit être qui vous apportera plus de bonheur que vous ne sauriez l'imaginer.

VOUS VOUS INTERROGEZ SUR LES DÉMARCHES À EFFECTUER, sur les examens médicaux, sur la façon de vous alimenter et sur le déroulement de l'accouchement ? Cet ouvrage est là pour vous aider à comprendre ce qui se passe en vous, à anticiper les différentes étapes et surtout à profiter au mieux de cette expérience unique. Il va vous accompagner pendant toute la grossesse et même au-delà !

Vous êtes enceinte !

VOICI VOTRE PARCOURS...

C'est le début d'une grande aventure dont chaque étape vous rapproche de la rencontre avec Bébé. Vous avez 41 semaines pour vous préparer à devenir maman.

PREMIER TRIMESTRE

À MI-PARCOURS !

DEUXIÈME TRIMESTRE

Semaines 5 à 8

LE PREMIER EXAMEN PRÉNATAL

Il est obligatoire avant la fin du 3ᵉ mois.
Vos hormones préparent votre corps.

LES PREMIÈRES SENSATIONS

Votre corps connaît des bouleversements, parfois des nausées ou une grande fatigue. Prenez soin de vous !

Semaines 17 à 21

DÉTENDEZ-VOUS !

Vous êtes épanouie, vous avez une belle peau, des cheveux brillants et une énergie débordante : le moment est idéal pour prendre des vacances !

Semaines 9 à 12

LA PREMIÈRE ÉCHOGRAPHIE

Elle a lieu entre la 10ᵉ et la 14ᵉ semaine d'aménorrhée. Vous pouvez voir le fœtus et entendre son cœur. Le médecin vérifie que tout va bien et calcule la date de l'accouchement. Ça y est, vous pouvez annoncer la bonne nouvelle !

Semaines 13 à 16

VOTRE VENTRE S'ARRONDIT.

C'est le moment d'adapter votre garde-robe à cette nouvelle silhouette !

... de la conception à la naissance

DERNIERS CONTRÔLES

FAITES DE L'EXERCICE : MARCHEZ, NAGEZ…

TROISIÈME TRIMESTRE

Semaines 32 à 36

ORGANISEZ-VOUS !

Profitez des cours de préparation à l'accouchement pour échanger avec d'autres parents. Préparez votre valise et tenez-vous prête !

Semaines 22 à 26

LA DEUXIÈME ÉCHOGRAPHIE

Elle a lieu vers la 22e semaine. Le médecin vérifie la croissance du fœtus. Vous le voyez bouger. À ce stade, si vous le souhaitez, il est possible de connaître son sexe.

Semaines 37 à 41

VOTRE ENFANT VA BIENTÔT NAÎTRE.

Le compte à rebours a commencé !

H

Semaines 27 à 31

PRÉPAREZ LA NAISSANCE !

Voici venu le temps des cours de préparation à l'accouchement.

Votre calendrier de grossesse

Vous êtes enceinte...

... mais vous ne le savez pas encore ! À votre insu, votre corps se prépare dès maintenant à assurer ses nouvelles fonctions.

Les hormones s'emballent

Durant les premières semaines, le taux d'œstrogènes produits par vos ovaires augmente rapidement. Le flux sanguin est accru dans vos organes et votre muqueuse utérine s'épaissit pour créer un environnement favorable à la nidation de l'embryon. Avec la progestérone, les œstrogènes stimulent les glandes mammaires, ce qui provoque une sensibilité inhabituelle de vos seins. Votre corps se prépare pour l'allaitement.

Fatiguée comme après un décalage horaire

En début de grossesse, le taux de progestérone, qui augmente après la conception, déclenche de nombreux signes et sensations. Pendant plusieurs semaines, le corps jaune (vestige du follicule contenant l'ovocyte expulsé de l'ovaire) sécrète la progestérone nécessaire au maintien de la grossesse. Son action sédative explique en partie la fatigue que vous pouvez ressentir, similaire à celle d'un décalage horaire. Elle détend aussi les muscles et les ligaments, ce qui permet à l'utérus de se développer. À ce taux élevé, la progestérone ralentit les contractions du système digestif, de sorte que votre digestion est plus longue. Les nutriments mettent plus de

L'AFFLUX DE SANG

dans votre utérus a doublé.
Votre cœur s'active pour répondre
à vos besoins à tous les deux.

x2

70% DE FEMMES

enceintes connaîtraient
un épisode de déprime et
1 sur 10 une dépression.

temps pour être absorbés dans le flux sanguin et cela ne va pas sans petits désagréments : indigestion, brûlures d'estomac, ballonnements et constipation. La progestérone épaissit le mucus cervical qui met le bébé à l'abri dans l'utérus.

✳ Votre test est positif

Une semaine environ après la conception, l'embryon s'implante et commence à produire la gonadotrophine chorionique (HCG). Cette hormone augmente jusqu'à la fin du premier trimestre, puis prend peu à peu un rythme régulier. C'est elle qui déclenche le résultat positif du test de grossesse. L'HCG pousse le corps jaune à produire suffisamment d'œstrogènes et de progestérone pour garantir la nidation et la nutrition de l'embryon jusqu'à ce que le placenta prenne le relais.

✳ Excès de vitesse

Après la conception, votre métabolisme accélère afin de répondre aux exigences supplémentaires de vos organes et de l'embryon. Votre cœur bat plus vite pour pomper le sang vers vos organes et vous respirez plus rapidement pour procurer nutriments et oxygène à l'enfant, d'où un sentiment de fatigue récurrent.

Prenez rendez-vous chez votre gynécologue !

En route vers la vie de famille

Même lorsqu'elle est souhaitée, une grossesse est souvent un moment bouleversant pour le couple : préparez-vous à partager de la joie et des doutes !

✳ Comme un syndrome prémenstruel...

C'est à cette période que les bouleversements hormonaux sont les plus spectaculaires. Il arrive qu'un début de grossesse soit vécu comme un syndrome prémenstruel puissance dix. La poussée hormonale provoque alors irritabilité, ballonnements, impatience, sans oublier une tendance à fondre en larmes sans raison apparente. Si vous en prenez conscience et si vous en parlez avec votre conjoint, ces symptômes seront plus supportables pour vous et il sera moins surpris. D'origine hormonale, ces changements d'humeur n'annoncent pas un changement de personnalité à long terme : dès la 12e semaine, tout devrait rentrer dans l'ordre.

✳ Un vol long-courrier

Vous avez de nombreux sujets à aborder avec votre conjoint : travail, argent, garde de l'enfant, organisation de la maison, mais il ne sert à rien de vouloir tout régler immédiatement. Vous avez plusieurs mois devant vous avant l'accouchement. L'essentiel est de préparer ensemble ce grand événement.

UN JOURNAL DE BORD ?
Pourquoi pas ! Commencez
à noter ce qui vous arrive
et ce que vous ressentez.

BON POUR LA SANTÉ !
Les brocolis, riches
en acide folique,
vitamine A et calcium.

✳ Un nouveau rôle à jouer

Quels parents souhaitez-vous devenir ?
Le moment est bien choisi pour
réfléchir à ce que vous attendez
de la vie de famille. Pensez à votre
enfance, à ce que vos parents vous
ont donné de bon et à ce que vous
voulez éviter avec vos enfants. Et autour
de vous : d'autres parents vous inspirent-ils?

**EN PAPOUASIE-
NOUVELLE-GUINÉE**
Les femmes n'annoncent jamais
à leur mari qu'elles sont enceintes :
elles se confient à leur famille, qui en
parle aux voisins. Quand le futur père
s'en aperçoit, il doit attendre la fin
d'une première célébration liée
à la grossesse avant
d'évoquer le sujet.

✳ Soyez honnête avec vous-même !

Au cours des premières semaines, inutile de se voiler la face et de
faire comme si tout allait bien si ce n'est pas le cas. Si cette grossesse
vous semble pesante, si vous ne vous sentez pas totalement prête
à devenir maman, parlez-en avec votre conjoint ou avec une amie.

✳ Communiquez !

En devenant mère, vous allez peut-être découvrir votre compagnon
sous un autre jour, voir comment il gère les changements de votre
vie et comment il prend ses responsabilités. Vous allez devoir
prendre des décisions ensemble, tomber d'accord sur les choix
à faire. Le dialogue est indispensable pour éduquer un enfant.

✳ Le premier rendez-vous

Notez les questions que vous souhaitez poser lors du
premier rendez-vous prénatal. Interrogez le médecin sur les
aspects qui vous posent problème. Il saura vous rassurer.

Porteur du chromosome X ou Y, le spermatozoïde fixe le sexe du bébé.

Une histoire d'amour

Tomber amoureux est une grande aventure, mais la rencontre d'un ovocyte et d'un spermatozoïde est encore plus incroyable : en sept jours, ils fusionnent pour engendrer un être humain.

�֍ La rencontre

Quand l'ovocyte et le spermatozoïde se rencontrent dans la trompe de Fallope, ils fusionnent pour créer une cellule appelée zygote qui associe les deux patrimoines génétiques (ADN). Vos 23 chromosomes se joignent aux 23 chromosomes du futur papa pour former une cellule unique de 46 chromosomes. C'est cette fusion des deux ADN qui détermine non seulement le sexe de l'enfant, mais aussi son apparence physique et son caractère.

�֍ La magie opère

Au cours de ces 12 premières heures, le zygote est une cellule unique. Il chemine dans la trompe de Fallope grâce aux ondulations de minuscules filaments qui le propulsent vers l'utérus. Au bout d'une trentaine d'heures, le zygote se divise en deux. Puis 15 heures plus tard, ces deux cellules se divisent à leur tour pour être au nombre de quatre. Environ 72 heures après la fécondation, elles sont

CROISSANCE DU BÉBÉ : 10%

| 10% | 20% | 30% | 40% |

au nombre de huit et se regroupent en un amas de cellules. Ce processus de segmentation se poursuit jusqu'à former un blastocyste constitué d'environ cent cellules. Une cavité se creuse au sein du blastocyste, dont les cellules se séparent en deux structures : une couche externe, semblable à une coquille protectrice, et une masse interne, qui abrite un amas de cellules.

✳ **Hello Baby !**

Environ 5 jours après la conception, le blastocyste atteint enfin l'utérus et se niche dans sa paroi. Le 6ᵉ jour, la couche externe de cellules commence à se fixer dans la muqueuse utérine : c'est la nidation. Ce faisant, le blastocyste sécrète l'hormone HCG qui indique à votre corps de produire suffisamment d'œstrogènes et de progestérone pour assurer les 12 premières semaines de grossesse. Au bout de 3 jours environ, la nidation est terminée. Une fois bien implantée dans la paroi de l'utérus, la masse cellulaire interne du blastocyste se transforme et se spécialise pour devenir un embryon, tandis que la couche externe commence à former le placenta.

Dès la 4e semaine, l'embryon grandit de 4 mm.

Les cellules en marche

Dans votre utérus, un embryon est en train de se former à partir d'un petit amas de cellules. À l'issue de la 4e semaine, son cœur bat déjà.

✳ Un nid douillet et protecteur

Après la nidation, la cavité amniotique se forme à partir des cellules externes du blastocyste pour devenir une bulle protectrice autour de l'embryon. Cette poche se remplira de liquide pour garder le futur bébé au chaud, l'hydrater et amortir les chocs. Il est entouré d'une autre couche protectrice appelée chorion. De minuscules languettes en surgissent et s'enracinent dans la muqueuse utérine pour se raccorder à votre flux sanguin, qui apporte nutriments et oxygène au futur bébé. Le chorion deviendra le placenta, mais tant qu'il n'est pas totalement formé, l'embryon se nourrit grâce à la vésicule vitelline qui lui est attachée par une tige.

✳ Prêtes à agir !

Le blastocyste recèle un groupe de cellules dont chacune est programmée pour déterminer un aspect spécifique de l'embryon. Dans ce processus de différenciation, qui commence à la 3e semaine, l'amas cellulaire se divise en trois couches distinctes :

LA GROSSESSE COMMENCE avant même l'arrêt des règles ! Votre enfant grandit en vous sans que vous le sachiez.

10 000

À 1 mois, l'embryon est 10 000 fois plus grand que la première cellule.

l'ectoderme, le mésoderme et l'endoderme. Les cellules de ces différentes couches savent déjà si elles vont engendrer la peau, le squelette ou des organes, et sont prêtes à remplir ces fonctions.

DANS LA MÉDECINE AYURVÉDIQUE INDIENNE, on dit que l'embryon est issu des cinq éléments qui constituent la base de toute vie : la terre, l'eau, le feu, l'air et les espaces célestes.

❋ La couche externe

Les cellules de l'ectoderme développent la couche externe du corps du futur enfant, constituée de peau et de cheveux, dont les cellules déterminent la pigmentation : la couleur des yeux et des cheveux se décide dès maintenant. En même temps se forment le système nerveux central et les organes sensoriels.

❋ La couche médiane

Les cellules du mésoderme sont appelées à devenir le squelette, les muscles, le cœur, le système circulatoire, les organes génitaux et les reins du bébé. Sa moelle osseuse et son sang sont également issus de ces couches, de même que la graisse, les os et le cartilage.

❋ La couche interne

Les cellules de l'endoderme constituent la couche interne et deviendront notamment le système digestif, le système respiratoire et le système urinaire, avec tous les organes utiles à ces fonctions : foie, pancréas, estomac, poumons, intestins et vessie, entre autres. Certaines cellules formeront les ovocytes et les spermatozoïdes.

Le voyage d'une vie

Dans tout périple, on a envie de savoir quand on arrive à destination. La grossesse ne fait pas exception à la règle. Vous avez tellement de choses à organiser !

Les calculs

Pour des raisons pratiques, la date de naissance est calculée à 41 semaines après le premier jour d'aménorrhée (premier jour des dernières règles), car le moment de la conception est difficile à déterminer. La plupart des femmes ayant des cycles réguliers ovulent environ deux semaines après le début des règles, de sorte que la conception intervient généralement à cette période. Cela signifie que, durant les deux premières des 41 semaines, la grossesse n'a pas encore commencé. En réalité, l'enfant passe 39 semaines dans l'utérus. Si ces calculs vous semblent compliqués, il existe des sites Internet qui déterminent le terme pour vous : il suffit d'indiquer la date de ses dernières règles. Pour les femmes qui ont des cycles irréguliers, il vaut mieux se fier aux résultats indiqués par l'échographie.

Une date importante

Connaître la date du terme est important pour plusieurs raisons. Elle permet au médecin ou

UNE GROSSESSE NORMALE
DURE ENTRE 38 ET 42 SEMAINES.
On note que 80 à 90 % des femmes
mènent leur grossesse à terme.

À CHAQUE SECONDE,
plus de 4 enfants viennent au monde
sur la planète, ce qui représente
133 millions de naissances par an.

à la sage-femme de surveiller au mieux la croissance de l'enfant à naître. Vous pouvez aussi organiser votre nouvelle vie en fonction de cette date, sans oublier la gestion des rendez-vous médicaux et du congé de maternité.

✳ Armez-vous de patience !

Cette date reste approximative : la naissance a parfois lieu après terme, notamment s'il s'agit d'une première grossesse. L'enfant n'est pas toujours disposé à sortir au moment où on l'attend !

✳ Tenez-vous prête !

Si vous atteignez 42 semaines, vous aurez l'impression que votre grossesse s'éternise. En réalité, vous serez encore dans la normalité. Néanmoins, la plupart des médecins préféreront vous mettre sous surveillance après 41 semaines et déclencher le travail 5 jours plus tard, car le niveau de liquide amniotique risque de baisser et le placenta devient moins efficace. Plus l'enfant grossit, plus il aura de mal à sortir. Peu de femmes poursuivent leur grossesse au-delà de cette limite et, dans la plupart des cas, il s'agit d'une prévision erronée de la date du terme.

✳ Bébé se fait attendre !

Chaque jour qui dépasse la date prévue semble interminable. Sachez qu'en 1945, une femme aurait attendu 53 semaines et 4 jours la naissance de sa fille, une enfant au développement plus lent, mais en parfaite santé. C'est la grossesse la plus longue qui ait été répertoriée!

Les premiers contrôles

Dès l'annonce de votre grossesse, vous devrez prendre un certain nombre de rendez-vous et effectuer divers examens prénataux dans le cadre de votre suivi.

✳ La surveillance médicale

Le suivi prénatal comporte des rendez-vous médicaux réguliers destinés à surveiller l'évolution de votre grossesse et de votre enfant. Ils sont l'occasion de poser au médecin ou à la sage-femme toutes les questions qui vous préoccupent.

✳ Les premières démarches

Dans un premier temps, il convient d'obtenir la confirmation de votre grossesse auprès de votre médecin, qui procède à un examen clinique et vous prescrit des examens de laboratoire. Enfin, il rédige une déclaration de grossesse. Dès que celle-ci parvient à votre caisse d'assurance maladie, vous recevez un calendrier des examens obligatoires. Vous pouvez décider dès maintenant avec votre médecin du lieu où vous accoucherez : centre hospitalier, hôpital général, ou clinique privée, conventionnée ou non. Si vous choisissez une clinique, renseignez-vous sur les conditions financières, notamment sur les éventuels dépassements d'honoraires.

Calendrier de grossesse

✳ Le dossier de la Sécurité sociale

Il s'agit d'un récapitulatif personnalisé de tous les examens à effectuer pendant la grossesse, puis après la naissance jusqu'au 3ᵉ mois de l'enfant. Il se compose d'un jeu d'étiquettes correspondant aux différents examens. Chaque mois, la future mère se fait examiner. Chaque étiquette doit être collée sur la feuille de maladie avant l'envoi à la caisse d'assurance maladie. Ces examens sont remboursés à 100 %.

✳ Sept examens médicaux obligatoires

Le premier examen prénatal obligatoire doit avoir lieu avant la fin du 3ᵉ mois. Il comprend un examen clinique (gynécologique et général), un questionnaire de santé sur le passé médical de la future mère, du futur père et de leur famille, et des examens de laboratoire (albumine, groupe sanguin, dépistage de certaines maladies). L'examen gynécologique prévoit un examen au spéculum, un toucher vaginal, une palpation de l'abdomen et des seins. L'examen général comprend, entre autres, une prise de la tension artérielle, une auscultation cardiaque et pulmonaire et une mesure du poids.

✳ Qui consulter ?

Après le premier rendez-vous avec un gynécologue, et si votre grossesse n'est pas pathologique, vous pouvez choisir d'être suivie par une sage-femme, qui peut être salariée d'une maternité ou d'un service de PMI, ou encore libérale. Elle pourra être présente à la maternité pour l'accouchement.

L'apport calorique devra être de
1 800 calories environ par jour, dont
des glucides (riz, pâtes, etc.), des fruits
et légumes, des laitages et des protéines.

Ne perdez pas de temps
à calculer vos calories, mangez
à votre faim en vous souciant
d'équilibrer les repas !

Comment s'alimenter ?

Contrairement à ce que veut la tradition populaire, il
n'est pas question de manger pour deux ! Dans votre
intérêt et dans celui du bébé, il convient d'adopter
un régime sain et équilibré durant toute la grossesse.

✳ Prenez soin de vous et de votre bébé

Adaptez votre alimentation et n'oubliez pas que tout ce que vous
absorbez l'est également par le bébé. Prenez des repas réguliers
et nutritifs pour puiser l'énergie dont vous avez besoin chaque jour,
pour soulager les nausées et bien dormir. Certains aliments sont
à éviter (voir ci-contre) pour éliminer tout risque d'intoxication
alimentaire ou de contamination (Escherichia coli, listeria, salmonelle
et toxoplasme). Naturellement, l'alcool est à proscrire.

✳ Acide folique et vitamine D

Il est conseillé de prendre 400 µg d'acide folique au cours du
premier trimestre afin d'assurer le bon développement du bébé,
notamment de son système nerveux central. Il est présent dans les
légumes verts, les choux, les agrumes, les noix… Vous pouvez aussi
absorber 10 µg de vitamine D par jour (lait, beurre, jaune d'œuf,
poisson…). Si vous optez pour un complément alimentaire
multivitaminé, assurez-vous qu'il ne contient pas de vitamine A,
déconseillé à haute dose pendant la grossesse.

# À proscrire	# Avec modération	# À privilégier

L'alcool : sous toutes ses formes.

Les œufs crus et ceux qui manquent de fraîcheur : à cause du risque de salmonelle.

La viande crue ou saignante : surtout la viande hachée servie en tartare.

Le foie : riche en vitamine A.

Les charcuteries et terrines de viande : saucisson, jambon cru, chorizo et jambon industriel, si vous n'avez pas eu la toxoplasmose.

Les poissons crus et ceux des mers profondes : saumon et truite fumés (attention aux sushis), requin, marlin, espadon.

Le lait cru et les fromages affinés à pâte molle : camembert, chèvre frais, roquefort, gorgonzola, à cause du risque de salmonelle.

Certaines herbes médicinales : consultez votre médecin au préalable.

La caféine : sa consommation doit être réduite. La limite conseillée et de 200 mg par jour, ce qui équivaut à deux grandes tasses de thé ou de café. Chocolat et cola contiennent aussi de la caféine : 50 mg pour 50 g de chocolat noir.

Le thon : deux steaks de thon frais ou quatre boîtes de thon en conserve par semaine constituent la limite recommandée à cause du mercure qu'il contient.

Les fruits et légumes frais doivent être lavés avec soin.

Les plats et produits industriels : ils ne sont jamais sûrs à 100 %, car ils peuvent être porteurs de la listeria et doivent être chauffés à haute température. De même, rincez bien les salades et les légumes en sachets.

Les cacahuètes : source de protéines, mais à éviter si votre conjoint est allergique.

Les yaourts : à base de lait pasteurisé ou de probiotiques.

Les tisanes : quatre tasses par jour.

Les sauces : ne contenant pas d'œuf cru.

Les fromages à pâte dure ou à base de lait pasteurisé, en enlevant la croûte.

Les fruits : notamment la banane et les fruits rouges.

Les légumes contenant de la vitamine A : épinards, laitue, tomates, dont la vitamine A diffère de celle du foie.

La crème fraîche pasteurisée : la pasteurisation tue la listeria.

Les crevettes : bien cuites.

Les crudités : notamment l'avocat, très riche en vitamines.

Avant de cuisiner, lavez-vous les mains avec du savon, puis séchez-les bien, car les bactéries se propagent plus facilement sur la peau humide.

Jus de fruits, infusions et smoothies sont conseillés, mais la meilleure boisson reste l'eau plate.

Un régime équilibré

Il doit être riche en vitamines et en oligoéléments et apporter tous les nutriments de base, protéines, glucides et lipides. Variez au maximum vos menus !

✳ Faites le plein de carburant

Afin d'assurer la construction des tissus et des organes de votre bébé et de préserver votre santé, il est important de consommer des aliments variés. Certes, vous allez prendre du poids, mais ce n'est pas le moment de vous lancer dans un régime restrictif ! Dans l'idéal, vos repas doivent comporter entre 50 et 60 % de glucides, 25 % d'acides gras essentiels et 20 % de protéines. Parmi les sources de glucides, citons le pain complet, le riz, les céréales et les légumes secs. Ces derniers sont aussi source de protéines, tout comme les noix, les produits laitiers, la viande et le poisson. Les acides gras essentiels proviennent des noix, des graines, des poissons gras et des œufs. Un apport en glucides, en protéines et en acides gras essentiels est nécessaire à chaque repas.

✳ Un peu plus de fer

La grossesse est une période un peu plus exigeante, même pour les férues de diététique. Les aliments riches en fer sont essentiels pour éviter la fatigue et l'anémie. Pour fixer le fer, consommez de la vitamine C, présente dans les fruits et les poivrons, entre autres. Votre médecin vous prescrira sans doute quelques compléments.

❊ Allergie, diabète et végétarisme

Si vous êtes allergique à certains aliments, si vous êtes diabétique ou encore végétarienne, vous êtes sans doute soucieuse de ne manquer d'aucun nutriment. Demandez conseil à un nutritionniste. Les allergiques au gluten veilleront à emmagasiner suffisamment d'énergie grâce aux glucides contenus dans les pommes de terre, le quinoa et les bananes, par exemple.

❊ Vitamines et oligoéléments

Vous devez consommer une large gamme d'aliments : le tableau ci-dessous recense les vitamines et nutriments contenus dans certains produits. Pour plus d'informations sur un régime équilibré, reportez-vous aux pages 216 à 221.

Vitamine A	Légumes verts, carottes, lait entier, jaune d'œuf…
Vitamine B	Légumes secs, pommes de terre, œufs, céréales complètes…
Vitamine C	Légumes verts et fruits crus (agrumes, fruits rouges, kiwis)…
Vitamine D	Yaourts, fromages à pâte dure, lait, beurre, poissons…
Vitamine K	Légumes verts, choux; céréales complètes…
Acide folique	Noix, légumes verts (brocolis), légumes secs, agrumes, avocat…
Fer	Légumes verts, haricots blancs, lentilles, épinards, persil, tofu
Zinc	Noix et graines, lentilles, céréales complètes, coquillages
Calcium	Produits laitiers, pain complet, épinards, choux, cresson, tofu
Oméga-3	Poissons gras (sardines, saumon), noix, huile de colza, mâche…
Protéines	Fruits secs, poissons gras, viandes, produits laitiers, soja
Potassium	Banane, avocat, patates douces
Magnésium	Amandes, noix, noisettes, germes de blé, chocolat

Je n'en peux plus !
LES 10 MAUX
LES PLUS FRÉQUENTS

QUE FAIRE ?

1

Fatigue
Vous êtes moins résistante et souvent épuisée.

Sortez moins le soir et, si possible, faites la sieste. Soyez à l'écoute de votre corps, mangez sainement et ménagez-vous. La situation devrait s'arranger au cours du 2e trimestre.

2

Nausées
Vous avez mal au cœur et vous êtes sujette aux vomissements.

Mangez peu et plus souvent. Consommez du gingembre : il peut vous soulager. Si vous rejetez les aliments, consultez le médecin pour éviter tout risque de déshydratation.

3

Ballonnements et constipation
Vous avez le ventre ballonné et des troubles intestinaux.

Mangez des fibres, buvez beaucoup d'eau plate et faites de l'exercice pour stimuler le transit intestinal. N'utilisez pas de laxatifs sans avis médical.

4

Seins douloureux
Vos seins ont tendance à gonfler et vos mamelons changent d'aspect.

Adoptez un soutien-gorge de grossesse ou de sport (sans armature). Il soutiendra vos seins et vous soulagera. Prévenez les vergetures en les massant à l'huile d'olive ou d'argan.

5

Maux de tête
Des céphalées fréquentes vous incommodent.

Buvez beaucoup d'eau pour éviter déshydratation et fatigue. Vous pouvez prendre du paracétamol en toute sécurité, mais pas d'ibuprofène.

**CES SYMPTÔMES APPARAISSENT
AU COURS DU PREMIER TRIMESTRE.**
Vous les ressentirez peut-être, ou non, mais s'ils
sont difficiles à supporter, consultez votre médecin.

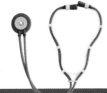

**LES ENVIES DES
FEMMES ENCEINTES**
peuvent indiquer une
carence en sels minéraux.

QUE FAIRE ?

6 Envies d'uriner fréquentes
Vous éprouvez le besoin d'uriner impérativement et plus souvent.

Ces envies sont provoquées par les modifications hormonales et la croissance du fœtus. Il n'y a pas de solutions. Si cela perturbe votre sommeil, buvez peu avant le coucher.

7 Troubles du sommeil
Vos nuits sont agitées et vous stressez en comptant les heures qui passent.

Essayez de vous détendre ! Lisez un peu, écoutez de la musique douce. Et, dans la journée, mettez au point des stratégies pour compenser le manque de sommeil (sieste ou petites pauses relaxantes).

8 Crampes
Elles apparaissent dans les cuisses, les mollets et les pieds.

Allongez les jambes, relâchez les muscles et demandez à votre conjoint de vous masser. Selon certains médecins, un apport en calcium (produits laitiers, bananes) peut être utile.

9 Envies alimentaires
Les traditionnelles envies de fraises ne sont pas toujours une légende.

Sont-elles dues aux hormones, à une carence, à un facteur émotionnel ? Nul ne sait ! Faites-vous plaisir de temps en temps, sans abuser, pour ne pas déséquilibrer votre alimentation.

10 Sautes d'humeur
Vous passez facilement du rire aux larmes.

C'est normal ! Il suffit d'en prendre conscience et d'en parler à votre entourage pour qu'il se montre compréhensif et vous soutienne.

Le top 10

La grande nouvelle

Félicitations, vous allez être papa ! Êtes-vous fou de joie, surpris, inquiet ? Quels que soient vos sentiments, c'est le début d'une nouvelle vie.

✳ Surprise !

Votre femme est enceinte : c'est une grande nouvelle. L'expérience suscite en vous des sentiments divers, de la joie, de la fierté, du soulagement, de l'impatience et une certaine appréhension. Rien de plus naturel ! Si cette grossesse est une surprise, vous êtes sous le choc. Après tout, la paternité est sans doute l'événement le plus important qui puisse vous arriver. Il en est de même pour votre conjointe. C'est elle qui va subir les plus grandes transformations, elle a besoin de votre soutien et cela commence tout de suite : gardez le sourire, prenez-la dans vos bras et faites-lui part de votre bonheur !

FÊTEZ LA NOUVELLE en tête à tête avec votre femme, pour parler de l'avenir et imaginer toutes les surprises que réserve l'arrivée d'un bébé.

À LA NAISSANCE, la fille a déjà tous ses ovocytes : la base pour faire un bébé.

EN MOYENNE, une éjaculation libère de 40 à 600 millions de spermatozoïdes, mais ils ne sont que 200 environ à être assez robustes pour franchir le col de l'utérus.

CHAQUE MOIS, un couple n'a en moyenne que 20 % de chances de concevoir.

✳ Une situation irréelle

Au départ, votre future paternité peut sembler irréelle, car rien n'est visible : en apparence, votre conjointe n'a pas changé. Si vous avez décidé de ne pas annoncer la nouvelle avant quelques mois, cette grossesse est encore moins tangible. Néanmoins, rien ne vous empêche d'évoquer des détails pratiques avec la future maman pour envisager sereinement une nouvelle vie à trois.

✳ Une petite graine

Pour l'heure, cet enfant est minuscule. Bien implanté dans la paroi de l'utérus de votre compagne, il entame sa croissance. Celle-ci peut déjà ressentir quelques symptômes et elle a peut-être l'impression que quelque chose a changé. Elle risque de souffrir de nausées et, à mesure que les hormones de la grossesse se mettent en marche, elle verra ses seins enfler et sera plus fatiguée. Même si vous ne portez pas l'enfant, vous allez devoir vous familiariser avec la maternité.

Nausées et vomissements

Connaissez-vous les sensations du mal des transports ?
Voilà à quoi ressemblent les nausées matinales !
Chez certaines d'entre vous, hélas, ces nausées
surviennent à n'importe quel moment de la journée.

✳ Vos sensations

Souvent, les premiers signes de grossesse apparaissent dès l'absence
des règles. Ce sont de petits maux qui perturbent la vie, mais ils ne
sont pas systématiques. Certaines d'entre vous souffrent de nausées
matinales, d'autres ont un goût métallique dans la bouche ou une
augmentation de la salive. D'autres seront plus sensibles aux odeurs
ou à la nourriture, avec des envies d'aliments consistants : pain, pâtes
ou pommes de terre. Alliées à une grande fatigue, les nausées
matinales peuvent être éprouvantes. Si vous vomissez et ne parvenez
pas à garder ce que vous ingérez, consultez votre médecin.
Heureusement, la plupart de ces troubles s'atténuent
à partir du 2e trimestre.

✳ Que se passe-t-il en vous ?

Les nausées matinales sont liées à l'activité hormonale, notamment
à un taux d'œstrogènes élevé, qui induit également une plus grande
sensibilité aux odeurs. Le taux accru de progestérone provoque,
quant à lui, des troubles digestifs. Selon certains scientifiques, il s'agit
là d'un phénomène d'adaptation de l'organisme. D'instinct, la femme

CONSEIL

BOIRE DE L'EAU par petites quantités tout au long la journée aide à lutter contre les nausées.

BON POUR LA SANTÉ !

Du gingembre : efficace contre les nausées, il stimule aussi l'appétit et la digestion.

enceinte choisit des aliments neutres pour éviter d'ingérer des substances potentiellement nocives et difficiles à digérer. Une envie de sucre peut indiquer que l'organisme est fatigué.

✻ Levez le pied !

Si vous vous sentez fatiguée, soyez à l'écoute de votre corps. Il est prouvé que la fatigue intensifie les nausées matinales. Reposez-vous, restez au lit un peu plus longtemps si vous le pouvez. Profitez de la pause déjeuner pour décompresser et le week-end, faites la sieste !

✻ Mettez en place des stratégies !

Malgré les nausées, prenez un petit déjeuner. Celles-ci sont plus intenses quand on a l'estomac vide. Mangez souvent, mais en petites quantités, des aliments riches en glucides (galettes de riz, biscuits à l'avoine, pain). Le gingembre est aussi une arme efficace : il est conseillé d'en prendre 250 mg en poudre (soit ½ cuillerée à café) quatre fois par jour. Vous pouvez aussi grignoter des biscuits au gingembre. Frais, il est délicieux dans une poêlée de légumes. Par ailleurs, les vitamines C et K atténuent les malaises (cassis, kiwis, poivrons, épinards…). Les nausées étant parfois liées à une carence en vitamine B6, consommez des céréales complètes, des pommes de terre, du cabillaud, des bananes, qui en sont de bonnes sources.

Dire ou ne pas dire ?

Vous n'avez pas encore annoncé que vous êtes enceinte, ce qui rend certaines situations délicates. Comment gérer la fatigue, les nausées et le fait de ne pas boire d'alcool sans trahir votre secret ?

✳ Les soirées entre amis

Vous pouvez parler de votre fatigue à vos amis sans avoir à vous justifier, car la grossesse n'en est pas la seule cause. Avant de sortir, n'hésitez pas à prendre une collation pour éviter le malaise dans les soirées où l'on passe à table très tard ou alors préférez les invitations à déjeuner. Si vous avez coutume de consommer un peu d'alcool en société, votre entourage risque d'être surpris quand vous allez refuser l'apéritif. Pour éviter d'éveiller les soupçons, portez-vous volontaire pour prendre le volant au retour ou optez pour des boissons qui ressemblent à l'alcool, jus de raisin ou jus de pomme.

✳ Changez vos habitudes !

Et si vous remplaciez un verre dans un bar encombré par une séance de cinéma ou par une pièce de théâtre ? Au moins, vous serez sûre d'être assise ! Ou encore, invitez plus souvent vos amis à la maison. Comme vos goûts évoluent et que certains de vos mets favoris ne vous font plus envie, vous leur servirez ce qui vous convient et vous serez confortablement installée.

✳ Sur votre lieu de travail

La plupart des femmes enceintes préfèrent ne pas annoncer leur grossesse tout de suite à leur employeur. Cependant, selon les professions, les conventions collectives accordent certains aménagements d'horaires ou du poste de travail quand celui-ci comporte un risque. Pour en savoir plus, adressez-vous aux délégués syndicaux de votre entreprise. Sachez que certaines tâches sont interdites pendant la grossesse : le travail en extérieur lorsque la température est inférieure à 0 °C, ou après 22 heures, et les tâches en contact avec les produits dangereux, par exemple.

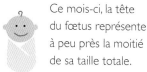

Ce mois-ci, la tête du fœtus représente à peu près la moitié de sa taille totale.

L'évolution de l'embryon

La silhouette de votre enfant apparaît déjà. Recroquevillé en forme de C, il se développe rapidement. Dès ce stade précoce, de nombreuses parties de son corps se mettent en place.

❋ Des cellules en action

Dès la 5ᵉ semaine, une ligne sombre apparaît sur le dos de l'embryon, à l'emplacement de la moelle épinière. Au sommet, deux hémisphères cérébraux se développent à partir du renflement du tube neural. Ces changements amorcent la formation du système nerveux central, dont la moelle épinière et le cerveau. À partir de six semaines environ, une activité cérébrale est détectable.

❋ Un cœur qui bat

À ce stade, le cœur n'est guère plus qu'un tuyau. Il commence à battre environ 21 jours après la conception et il est détectable à l'imagerie. Puis cette ébauche de cœur se transforme ensuite pour prendre la forme d'un S sur lequel s'installent ses différentes parties. Ses battements ne pourront être perçus par le doppler avant la 8ᵉ semaine : il bat alors à 150 pulsations par minute, soit deux fois

CROISSANCE DU BÉBÉ : 20 %

| 10 % | 20 % | 30 % | 40 % |

plus vite que celui d'un adulte.
De là, quatre cavités se séparent
et une première forme de sang
commence à circuler dans les
vaisseaux sanguins. À ce stade,
il est composé presque entièrement
de globules rouges.

✳ Un petit ventre

À partir de la 5e semaine, un autre
tube devient visible, de la bouche
de l'enfant à l'autre extrémité,
qui constituera au final le système
digestif. Tous les organes
dont il va avoir besoin
pour digérer les aliments
sont issus de ce simple tuyau.

✳ Les membres se dessinent

À six ou sept semaines, de petits bourgeons apparaissent
sur les côtés de l'embryon. Les bras et les jambes vont émerger
de ces bourgeons, dont les extrémités se transformeront
en mains et en pieds : on discernera alors des doigts palmés.

400 µg d'acide folique par jour : dose utile à la formation de son tube neural.

Le visage du bébé

Au début du 2e mois, la tête du foetus est très grande proportionnellement au reste du corps. Dès la 8e semaine, on distingue nettement un visage humain.

✳ Il a la grosse tête !

À six semaines, le fœtus présente des traits qui rappellent des ouïes. Ils vont évoluer au cours des semaines à venir pour se transformer en un véritable visage. Son cerveau se développe en cinq parties distinctes. Les neurones se connectent pour relier le cerveau à toutes les autres parties du corps grâce aux voies neuronales. À la fin de ce mois, le cou se dessine, la tête s'arrondit et esquisse une forme humaine identifiable.

LE SAVIEZ-VOUS ?

À PARTIR DE LA 8e SEMAINE, Bébé est officiellement un fœtus, terme issu du latin signifiant «produire, engendrer».

150

À la 6e semaine, le cœur du fœtus émet 150 battements par minute.

❋ Le visage se modèle

Les os se forment et remplacent peu à peu le cartilage, tandis que les tissus esquissent les traits du visage, le nez, le front, les joues, la lèvre supérieure et la mâchoire. Les racines dentaires amorcent leur poussée et un début de langue apparaît dans la bouche en formation. Deux orifices se creusent à l'endroit des narines.

❋ Un regard neuf

De chaque côté du visage, un orifice large et sombre indique l'ébauche des yeux. La pigmentation est déjà détectable dans un début de rétine. Dès la 8e semaine, un nerf optique relie chaque œil au cerveau et les paupières apparaissent.

❋ Les oreilles

Les structures internes des oreilles s'ébauchent à la 6e semaine, forgeant aussi des connexions avec le cerveau en plein développement. Les parties externes de l'oreille ne sont, pour l'heure, que deux creux à la surface de la tête, un de chaque côté.

❋ Les couches de la peau

Au début de la 5e semaine, la peau se compose d'une couche unique. Deux semaines plus tard, elle se structure en une couche supérieure, le périderme, et une couche de base. Des follicules pileux se forment et les cheveux commenceront à pousser le mois prochain.

2ᵉ MOIS

La fatigue est le moyen utilisé par le corps pour vous inciter à ralentir. Au cours de la grossesse, le stress peut faire monter votre tension. Heureusement, cette fatigue va s'atténuer au cours du 2ᵉ trimestre.

Détendez-vous !

Même si vous êtes enceinte, le téléphone sonne, la lessive s'accumule et votre activité professionnelle est toujours aussi prenante. Pour gérer le stress, un seul secret : s'occuper de soi !

✳ Maîtrisez votre stress !

Il est démontré qu'une alimentation saine, une bonne qualité de sommeil et la pratique de la relaxation réduisent le stress et facilitent la vie. Ces pratiques sont d'autant plus importantes maintenant que votre corps s'active à fabriquer un enfant. En prenant soin de vous, vous êtes attentive en même temps à la santé de votre enfant.

Mangez sain !

- Ne sautez pas le petit déjeuner.
- Mangez plus souvent, par petites portions.
- Hydratez-vous (voir p. 108).
- Consommez des en-cas diététiques.
- Mangez fruits et légumes en abondance.
- Renoncez à l'alcool et réduisez la caféine.

CONSEIL

L'EXERCICE PHYSIQUE compte parmi les meilleurs remèdes contre le stress, car il déclenche la sécrétion d'endorphines. Vous trouverez des exercices utiles p. 210-215.

L'HUILE ESSENTIELLE DE LAVANDE CHAUFFÉE DANS UN DIFFUSEUR AIDE À LA DÉTENTE.

✳ **Respirez !**

Chaque jour, ménagez-vous un moment pour respirer profondément et vous accorder un petit plaisir. Suivez les conseils ci-contre si vous êtes à court d'idées.

Pour se détendre

- Suivre des cours de Pilates ou de yoga.
- Faire de la marche.
- Écouter de la musique.
- S'accorder 15 minutes de sieste.
- Respecter la pause déjeuner.
- Aller au cinéma.
- S'offrir un massage.
- Lire un bon livre.
- Bavarder avec une amie.
- Prendre un bain relaxant.
- Nager.
- Suivre un cours de relaxation.
- Regarder un film comique à la télévision.

✳ **Dans les transports**

Dans le train, le métro ou le bus, n'hésitez pas à solliciter un siège. Vous pouvez obtenir une carte de priorité auprès de la CAF, mais en général, une demande courtoise suffit pour obtenir une place assise. Par ailleurs, ce n'est pas parce que vous êtes enceinte qu'il faut renoncer à voyager. Si vous effectuez un vol long-courrier, promenez-vous dans la cabine pour stimuler la circulation sanguine et pensez à boire abondamment.

LES 10 EXPLOITS
DE LA GROSSESSE

Le top 10

1 ### L'extension
En 40 semaines, l'utérus passe de la taille d'une poire
à celle d'une pastèque, soit de 70 g environ à 1 kg.

2 ### La création
Au cours de la grossesse, une femme crée un organe tout
neuf : le placenta, le seul dont on se débarrasse après usage.
Il permet de fournir l'oxygène et les nutriments au fœtus.

3 ### Le pompage
Une femme enceinte possède 50 % de sang supplémentaire
au bout de 20 semaines. Son débit cardiaque augmente
de 40 %. Elle va aussi produire 20 % de globules rouges en plus
pour transporter l'oxygène dans toutes les parties du corps.

4 ### La croissance
Le cœur et le foie peuvent augmenter de volume pour
répondre aux exigences considérables de la grossesse.
Après l'accouchement, ils retrouveront leur taille normale.

5 ### L'étirement
La relaxine, hormone sécrétée par les ovaires, réduit la densité
des cartilages et des ligaments dans tout le corps afin que
la zone pelvienne soit plus souple au moment de
l'accouchement. Elle permet aussi à la cage thoracique
de s'étirer pour assurer une meilleure capacité pulmonaire.

LA FABRICATION D'UN ÊTRE HUMAIN

en seulement 41 semaines est assez incroyable.
Pour accomplir cet exploit, le corps développe
des capacités étonnantes.

6

Le rayonnement

Des vaisseaux sanguins dilatés, une meilleure
circulation sanguine et une activité accrue des glandes
sébacées : rien de tel pour un teint rose et frais.

7

L'instinct du danger

Les femmes enceintes ont un sens de l'odorat aiguisé
qui leur permet de détecter les éléments nocifs pour
leur enfant. C'est pourquoi, notamment, l'odeur du tabac,
du café et de l'alcool vous incommode plus que d'habitude.

8

L'adaptation digestive

Au 3e trimestre, 200 calories supplémentaires par jour
suffisent pour nourrir le bébé, qui puise les nutriments
dont il a besoin et laisse le reste à sa mère. Pour assurer une
absorption maximale des nutriments, la digestion est ralentie.

9

Un embellissement

La future maman a les cheveux soyeux et plus épais grâce
aux récepteurs d'œstrogènes qu'ils renferment. Elle perd
moins de cheveux et ils poussent plus vite, comme les ongles.

10

Des facultés de protection

Au bout de 39 semaines, l'utérus contient environ 1 litre
de liquide amniotique à une température de 37,5 °C,
qui se renouvelle sans cesse. Il protège le bébé des chocs
et le maintient à une température égale.

Une tempête hormonale

Les hormones de la grossesse provoquent souvent des nausées matinales, sans parler de la fatigue, des sautes d'humeur, etc. Mais votre femme a peut-être la chance d'échapper à ces malaises !

✳ Des hauts et des bas

Un cocktail d'hormones de grossesse envahit l'organisme de la future maman, qui peut alors être incommodée par des effets secondaires. Peut-être passera-t-elle facilement du rire aux larmes, de l'enthousiasme à l'abattement, de la joie à la colère. Ces fluctuations sont les conséquences de réactions chimiques du cerveau qui affectent les neurotransmissions régulatrices de l'humeur. Si l'on y ajoute l'appréhension des mois à venir, cette période peut être difficile à vivre pour le couple. Pour l'aider, dialoguez avec elle en gardant à l'esprit que ses accès de mauvaise humeur ne sont pas vraiment dirigés contre vous.

✳ Les nausées matinales

Les bouleversements hormonaux peuvent aussi la rendre malade le matin. Certaines futures mamans souffrent de vomissements, d'autres de nausées intenses ou de vertiges… Parfois, ces symptômes sont plus forts lorsqu'elles sont fatiguées, en fin de journée. D'autres ne se sentent jamais bien. Si votre femme va mal, prenez conscience

CERTAINS PÈRES
développent un
syndrome appelé
couvade.

LES NAUSÉES ET VOMISSEMENTS
de votre femme disparaissent en
général dès le 4e mois de grossesse,
tout comme la sensation de fatigue.

MÊME SI ELLE A DES
NAUSÉES, PRÉPAREZ-LUI
UN PETIT DÉJEUNER
LÉGER, C'EST NÉCESSAIRE.

SI VOTRE FEMME
a perdu l'appétit et le goût
de cuisiner, préparez-lui
des plats légers. Et si elle aime
cette saveur, parfumez-les
au gingembre pour soulager
ses nausées.

qu'il est pénible pour elle de se sentir
affaiblie. Imaginez-vous en proie
à une gueule de bois perpétuelle !
La vie quotidienne peut en être
affectée dans tous ses aspects :
déplacements, préparation des
repas… Certaines d'entre elles ont l'impression que leur corps ne
leur appartient plus, ce qui est une source potentielle d'angoisse.

✳ Bébé grandit

À la fin du 2e mois, l'embryon est désormais un fœtus. Il a des bras,
des jambes et les traits de son visage se dessinent. Son système
nerveux central et son cœur se développent. Il commence à bouger,
mais ni vous et ni votre femme ne vous en rendez compte, car il a
encore beaucoup de place pour évoluer.

Oui

Encouragez-la à se reposer
et soutenez-la autant que possible
dans les tâches quotidiennes !
Couchez-vous de bonne heure !

Sortez et amusez-vous quand
l'envie vous en prend !

Faites des promenades
et des exercices
au grand air !

Non

Ne cuisinez pas d'aliments
très odorants, susceptibles
de déclencher une nausée !

Ne téléphonez pas au médecin chaque fois
qu'elle se sent mal, mais si elle souffre
de vomissements répétés,
prenez un avis médical !

Ne fumez pas en sa présence,
car la fumée serait absorbée
par le bébé.

Votre grossesse se voit

Ce mois-ci, plus moyen de se cacher : les seins enflent, la peau change d'aspect et la taille s'épaissit. Tout devient concret. L'échographie aide également à prendre conscience de la présence du bébé.

✳ Des seins gonflés

Les seins, de plus en plus gonflés et sensibles, sont souvent la première partie du corps à trahir un changement visible. Jusqu'alors, les modifications étaient dues à l'augmentation des taux d'œstrogènes et de progestérone. Désormais, l'hormone lactogène placentaire (HPL) entre en jeu, produite par le placenta. Elle augmente le taux de sucre dans le sang afin d'acheminer les nutriments au fœtus et prépare les glandes mammaires à fabriquer du lait maternel. Vous constatez sans doute que vos aréoles s'élargissent et s'assombrissent et que de petites bosses blanches, les tubercules de Montgomery, y éclosent : celles-ci produisent une substance qui empêche le développement des bactéries et maintient propre la peau des mamelons. Pour améliorer votre confort, vous pouvez porter un soutien-gorge de sport ou opter pour un soutien-gorge de grossesse.

✳ Des vertiges

Au cours des dernières semaines, grâce à l'action des hormones, notamment de la progestérone, vos vaisseaux sanguins se sont détendus. Cette dilatation leur permet de contenir plus de sang.

23 %

QUANTITÉ DE SANG SUPPLÉMENTAIRE
acheminée vers votre
utérus dès la 12ᵉ semaine.

BON POUR LA SANTÉ !
Les œufs, riches en vitamine B
et en choline, favorisent
l'absorption de l'acide folique.

La progestérone veille à ce que les vaisseaux sanguins du placenta en reçoivent suffisamment et elle soutient l'action des organes, notamment celle des reins. Votre corps est en train de fabriquer du plasma et des globules rouges. Comme ils ne sont pas

VOCABULAIRE

- HPL
- Tubercule de Montgomery
- Angiome stellaire

suffisants, la pression sanguine risque d'être plus basse que d'habitude. Lorsque vous vous redressez rapidement, vous aurez peut-être un vertige. Pensez à vous lever plus lentement. Ces vertiges peuvent aussi être attribués à des chutes de glycémie : ne sautez pas de repas et consommez, si nécessaire, des en-cas riches en glucides.

✳ Des coups de chaleur

Avez-vous la sensation d'avoir plus chaud, notamment au niveau des mains et des pieds ? De petites veines apparaissent-elles à la surface de la peau, surtout sur les seins et les jambes ? Ces changements sont liés : l'afflux sanguin accru vers la peau crée des lésions vasculaires bénignes, en forme d'étoile (angiomes stellaires), qui servent à évacuer la chaleur excessive générée par le métabolisme et le flux sanguin.

✳ Des envies pressantes

Votre silhouette a peu changé, mais votre utérus est plus grand et plus épais. Sans doute appuie-t-il sur votre vessie, ce qui provoque des envies d'uriner fréquentes et vous contraint à vous lever la nuit. De plus, les reins travaillent davantage pour filtrer le surplus de sang. Hélas, ce désagrément va s'amplifier à mesure que l'utérus s'agrandit.

Vos muscles pelviens s'étirent peu à peu. Des exercices du périnée sont utiles.

Fiction ou réalité ?

Les femmes enceintes reçoivent une multitude de conseils. Est-il dangereux de manger certains produits, de repeindre la chambre du bébé ? Faut-il éloigner le chat ? Faites le tri entre mythe et réalité !

✳ Évaluer les risques

Apprenez à analyser les faits, à comparer les avis et échangez avec votre conjoint sur toutes les questions qui vous préoccupent. Fiez-vous à votre jugement. Être parent, c'est aussi savoir évaluer les risques et prendre des décisions en essayant de faire au mieux.

✳ Un verre de trop ?

Avez-vous bu de l'alcool avant de savoir que vous étiez enceinte ? Dans les médias, certaines études suggèrent que la consommation d'alcool constitue un risque pour l'enfant dès le premier mois. En cas de doute, parlez-en à votre médecin. Et voyez plutôt le bon côté des choses : votre grossesse est l'occasion idéale pour adopter une meilleure hygiène de vie !

✳ La chambre de Bébé

On déconseille aux femmes enceintes de rénover une pièce qui est restée intacte depuis les années 1970, car la peinture peut contenir du plomb que le ponçage libère dans l'atmosphère. Cette exposition peut nuire au développement cérébral de votre enfant ainsi qu'à son système nerveux et génital. En cas de doute sur la vétusté de la pièce, pourquoi ne pas confier ces travaux à quelqu'un d'autre ? Si vous repeignez vous-même, choisissez des peintures, des dissolvants et des vernis sans danger pour l'environnement.

✳ Sexualité et grossesse

Vous vous demandez si les rapports sexuels peuvent faire du mal à l'enfant ? En fait, sauf avis médical, vous pouvez maintenir une sexualité normale jusqu'à la fin du 9e mois. L'afflux d'hormones va peut-être même accroître le désir !

✳ Les produits ménagers

Une étude de 2013 met les femmes enceintes en garde contre les composants chimiques des produits ménagers, des cosmétiques et des matières plastiques. D'autres attestent que rien ne vient étayer ces résultats. Qui croire ? Dans le doute, soyez prudente ! Évitez au moins les produits dont l'emballage comporte une croix rouge : eau de Javel, insecticides, etc. Par ailleurs, sachez que le chlore, l'ammoniaque, les solvants et autres pesticides peuvent provoquer des nausées, irriter la peau et affecter poumons et système nerveux.

✳ Nos amies les bêtes

Il n'est pas utile de chasser le chat et le chien de votre foyer, mais soyez particulièrement vigilante sur l'hygiène, notamment pour changer la litière du chat : prenez des gants ou confiez cette tâche à votre conjoint. En outre, évitez les produits antipuces classiques et demandez des solutions plus naturelles à votre vétérinaire.

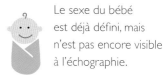 Le sexe du bébé est déjà défini, mais n'est pas encore visible à l'échographie.

Tout est en place !

Un petit être est en train de se façonner. Ses organes sont déjà formés et commencent à fonctionner, mais il a toujours une très grosse tête.

✳ La première étape est franchie

Au terme de la 12ᵉ semaine, votre bébé a effectué la première partie du parcours et la plus essentielle. Les développements les plus importants ont eu lieu et les bases de la physiologie humaine sont en place. Bébé ressemble à une petite personne.

✳ Le cœur

À la 10ᵉ semaine, le cœur du fœtus a pris sa forme définitive. Les deux oreillettes reçoivent du sang grâce à la circulation fœtale, tandis que les ventricules pompent le sang vers les poumons et le reste du corps. Des valves se développent à la sortie des quatre alvéoles pour s'assurer que le sang est toujours pompé dans un seul sens.

✳ Les membres

Le tronc du fœtus se redresse. Les bras et les jambes sont formés, avec des coudes, des poignets et des chevilles visibles et mobiles.

CROISSANCE DU BÉBÉ : 30%

| 10% | 20% | 30% | 40% |

LE SAVIEZ-VOUS ?

À LA 12e SEMAINE, Bébé pèse entre 15 et 30 g. Ses premiers mouvements l'aident à développer un squelette et des muscles robustes.

QUELLE TAILLE ?
Il est maintenant gros comme une prune.

Les membres s'allongent. Après la 10e semaine, de minuscules ongles apparaissent, et les doigts et les orteils sont bien séparés.

✳ Des muscles en action

Les premiers mouvements qu'effectue le fœtus sont des soubresauts involontaires, car le système nerveux n'est pas encore assez évolué pour que le cerveau et les parties du corps communiquent. Au cours du 3e mois, les mouvements sont plus fréquents, mais vous ne les ressentirez que dans un mois ou deux.

✳ Bien au chaud !

Bébé flotte librement dans le liquide amniotique qui le protège. La poche des eaux est entourée d'une couche interne et d'une couche externe séparées par un espace : la vésicule vitelline.

✳ Générations futures

Les organes génitaux sont développés dès la 12e semaine et contiennent des cellules prêtes à devenir des spermatozoïdes ou des ovocytes.

Son cœur bat à environ 150 pulsations par minute.

Bébé ouvre et ferme **la bouche.**

Ses oreilles sont presque à leur place définitive.

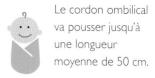

Le placenta

À la fin du 3e mois, le placenta est en place, prêt à soutenir Bébé jusqu'à sa naissance en lui assurant des fonctions nutritives et protectrices, mais aussi en éliminant ses déchets.

❋ Une poche reliée à l'utérus

Le placenta s'ébauche dès le premier mois autour de l'embryon, lors de la formation du chorion et de l'amnios sur la paroi de l'utérus. Ces éléments s'épaississent pour former une poche ovale remplie de liquide amniotique, généralement attaché au sommet de l'utérus ou sur le côté. À la 10e semaine, le placenta contient environ 30 ml de liquide (en grande partie constitué d'eau). Ce volume augmente peu à peu jusqu'à 1 litre vers la fin du 3e trimestre.

❋ Un système de survie

Le placenta a plusieurs fonctions : il fournit de l'oxygène et des nutriments à l'enfant et élimine ses déchets. Il permet des échanges entre sang maternel et fœtal sans que ceux-ci se mélangent. Au sein du chorion, des villosités atteignent l'intérieur de la paroi de l'utérus, où elles conduisent le sang oxygéné venu de vos artères, qui se sont élargies pour transporter un volume plus important qu'avant la grossesse. Les flux de sang se regroupent dans le placenta, où d'autres villosités, plus petites, absorbent l'oxygène et les nutriments

destinés à nourrir l'enfant. En même temps, ses déchets, urée et gaz carbonique, passent dans les veines et sont acheminés vers vos poumons et vos reins pour être éliminés.

✳ Le cordon ombilical

Le bébé est relié au placenta par le cordon ombilical. Celui-ci renferme une veine principale, qui transfère le sang chargé d'oxygène et de nutriments vers le système sanguin du bébé. Il abrite aussi des artères qui rejettent son sang usé contenant du gaz carbonique et d'autres déchets. Ces trois voies forment une torsade recouverte d'une matière gluante et d'une membrane.

✳ Un effet bouclier

Le liquide amniotique offre au bébé un environnement à température égale et constitue une protection contre les secousses. De plus, les membranes qui l'entourent créent une barrière contre les substances néfastes, telles que les bactéries et les toxines de l'atmosphère. Plus tard, le placenta fournira des anticorps pour protéger le nouveau-né. Toutefois, il ne peut repousser la rubéole, la listeria (bactérie présente dans la terre, qui peut aussi être transmise par les charcuteries et les produits laitiers non pasteurisés) ou les métaux lourds, comme le plomb, qui peuvent s'infiltrer dans le flux sanguin.

✳ Une fabrique d'hormones

Dorénavant, le placenta est responsable de la production de HCG, d'œstrogènes et de progestérone nécessaires jusqu'à la fin de la grossesse pour préparer le corps à l'accouchement et à l'allaitement.

3e MOIS

La première échographie permet de dépister des anomalies. Mais attention, ne confondez pas dépistage des risques et diagnostic formel !

Cette échographie est dite de datation, car elle permet de calculer le terme.

La première échographie

Elle a lieu entre la 9e et la 12e semaine et permet de déterminer la date de l'accouchement. Vous allez voir pour la première fois votre bébé !

✳ À quoi sert-elle ?

Cette échographie permet au médecin de calculer l'âge exact du fœtus et de déterminer la date de l'accouchement. Il vérifie si la grossesse est intra-utérine, s'il s'agit d'une grossesse unique ou multiple, contrôle le rythme cardiaque du fœtus et mesure la clarté nucale. C'est toujours un moment émouvant pour les parents !
On distingue son cœur qui bat et on le voit bouger.

LA CLARTÉ NUCALE

C'est un décollement entre la peau et la colonne vertébrale, visible jusqu'à la 12e semaine. Sa mesure est un indice pour dépister des anomalies chromo-somiques, une maladie cardiaque ou un trouble de la circulation lymphatique. Couplée à une prise de sang, elle fait partie du dépistage de la trisomie 21.

✳ Comment se préparer ?

On vous demandera de boire au préalable une grande quantité d'eau. La vessie pleine pousse ainsi l'utérus vers le haut, ce qui offre une image plus nette. Sachez que l'échographie révèle parfois des détails inattendus.

✳ Que se passe-t-il ?

Vous vous allongez et exposez votre abdomen. L'échographiste déplace une sonde sur votre ventre après l'avoir enduit de gel pour que le contact entre la peau et l'appareil soit parfait. Cette sonde (de la taille d'une souris d'ordinateur) est reliée à un écran sur lequel apparaît l'image du fœtus.

✳ L'examen est-il douloureux ?

Il est totalement indolore, même si le gel procure une sensation de froid. Vous sentirez juste la pression de l'appareil. Le bébé ne sentira rien et l'examen est sans danger pour lui.

✳ Qui peut m'accompagner ?

De manière générale, vous pouvez être accompagnée d'un adulte, généralement le futur papa, mais ce peut être une amie proche ou votre mère. Les enfants sont rarement admis.

✳ Comment cela fonctionne-t-il ?

L'appareil envoie des ultrasons, inaudibles pour l'oreille humaine, dans le ventre de la future maman et enregistre les résonances à l'aide d'un minuscule micro. Une image apparaît sur l'écran.

Décrypter l'image

Si vous souhaitez comprendre cette première image de votre enfant, sachez que les structures solides, comme les os et les muscles, apparaissent en blanc ou en gris, tandis que les tissus mous, comme les yeux, et les structures creuses, y compris les alvéoles du cœur, sont rouge sombre ou noirs.

Le profil de ce fœtus est très clair. On distingue le nez, la bouche et les yeux, tandis qu'il se déplace.

Les orbites sont des trous sombres au sein du profil du crâne. Les tissus mous des yeux sont noirs.

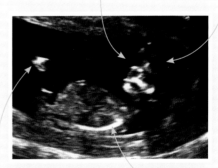

Est-ce un pied ? Les zones blanches montrent les os. Si elles bougent, ce sont les pieds et les mains.

La colonne vertébrale est bien visible sous la forme d'une ligne courbe et blanche.

3ᵉ MOIS

Semaines 9 à 12
CE SONT
DES JUMEAUX !

Une grossesse multiple

Vous êtes juste habituée à l'idée d'être enceinte et vous découvrez qu'il y a plus d'un bébé ! Il est normal d'être sous le choc malgré votre enthousiasme. Plusieurs éléments sont à prendre en compte.

✳ Une surveillance accrue

Votre grossesse se déroulera probablement sans encombre, avec peu de complications, mais vous devrez néanmoins respecter un suivi spécifique, car les risques d'hypertension, de prééclampsie et de diabète sont accrus. Des examens supplémentaires vérifieront que vos fœtus se développent au même rythme. C'est nécessaire, surtout en cas de vrais jumeaux partageant un seul placenta, car l'un des deux peut bénéficier de davantage de sang (syndrome de la transfusion de jumeaux à jumeaux).

✳ Comment vous sentez-vous ?

Le taux élevé d'hormones HCG peut provoquer des nausées, des vomissements et de la fatigue, parfois de façon plus intense que pour une grossesse unique. Mais bonne nouvelle : ces problèmes se dissipent au 4ᵉ mois ! Plusieurs bébés prennent davantage de place, ce qui peut générer des brûlures d'estomac et des troubles digestifs, car votre utérus appuie sur d'autres organes : mangez régulièrement

CONSEIL

ADOPTEZ UNE ALIMENTATION associant nutriments et fibres, car les grossesses multiples intensifient la constipation en raison de la pression plus importante sur les intestins. Et efforcez-vous de prendre six petits repas par jour afin d'éviter les troubles digestifs.

et en petites quantités. Le risque d'anémie est accru, veillez donc à obtenir un apport suffisant en fer. Si vous avez mal au dos ou au ventre, demandez conseil à votre médecin. Privilégiez les vêtements dans lesquels vous êtes très à l'aise et adoptez une posture qui soulage votre dos.

✳ **De la place pour deux**

Votre ventre va s'arrondir plus tôt, dès dix semaines, et vous aurez du mal à cacher votre grossesse très longtemps. Vous prendrez plus de poids que pour un seul enfant, car même si les fœtus sont plus petits, le liquide amniotique et le placenta sont plus importants. Mais les chiffres ne sont pas si spectaculaires que vous le pensez : une grossesse unique suppose une prise de 11 kg en moyenne, un deuxième bébé entraîne 4,5 kg supplémentaires environ.

✳ **Prévoir l'accouchement**

Il est probable que vous accoucherez à 38 semaines, considérées comme le terme pour des jumeaux, peut-être même un peu plus tôt. Préparez votre valise bien à l'avance. Une césarienne est envisageable, mais prévoyez quand même un accouchement par les voies naturelles si les enfants sont bien placés et si le premier se présente la tête en bas.

LA FIV ET LES JUMEAUX

L'augmentation du recours à la FIV (fécondation *in vitro*) a provoqué un accroissement spectaculaire du nombre de grossesses gémellaires. En France, 20 % des femmes enceintes à la suite d'une FIV portent des jumeaux.

3ᵉ MOIS

On parle souvent de l'âge idéal pour avoir un premier enfant. Après 35 ans, le nombre et la qualité des ovocytes diminuent. Cependant, il suffit d'un seul pour concevoir un bébé !

Les grossesses tardives

Aujourd'hui, dans les pays occidentaux, les femmes ont leur premier enfant de plus en plus tard. Faut-il s'en vraiment inquiéter ? Quels sont les risques et les avantages de ce phénomène ?

✳ Des bases solides

Des études sur les mères tardives mettent en relief tous les arguments positifs pour reporter la maternité. Enfanter à un âge plus avancé va souvent de pair avec une situation familiale plus favorable : les couples sont mieux installés et leur relation est souvent plus stable. Ils ont une plus longue expérience de la vie et souvent une meilleure situation financière.

✳ Plus de confiance en soi

À plus de 30 ans, les femmes ont parfois atteint leurs objectifs professionnels, ce qui leur permet de faire une pause dans leur carrière. Elles vivent mieux la maternité quand elles sont prêtes à se concentrer sur leur vie de famille sans craindre de renoncer à d'autres aspects de l'existence. La maturité favorise aussi l'aptitude à assurer un équilibre entre travail et famille et l'expérience de la vie permet de s'engager en confiance dans la maternité. Les mères sont alors mieux armées pour assumer les difficultés familiales et pour

LE SAVIEZ-VOUS ?

ACCOUCHER À PLUS DE **40 ANS** multiplie par quatre, par rapport aux jeunes mamans, la possibilité de devenir centenaire.

28 ans

ÂGE MOYEN DES PRIMIPARES EN FRANCE MÉTROPOLITAINE

s'affirmer dans leur rôle d'éducation. Des études statistiques montrent que les enfants nés de mères plus âgées obtiennent généralement de meilleurs résultats scolaires.

✳ Des risques pour la santé ?

Si vous êtes enceinte pour la première fois à plus de 35 ans, vous êtes considérée comme une «primipare âgée». Votre grossesse fera l'objet d'une surveillance particulière, notamment dans le domaine du dépistage des anomalies génétiques. Vous êtes plus exposée aux risques d'hypertension artérielle, de diabète et d'anomalies du placenta. En outre, les accouchements par césarienne sont plus fréquents dans cette tranche d'âge. Essayez de considérer cette surveillance accrue comme un avantage. Sachez aussi que la majorité des femmes de plus de 35 ans vivent une grossesse harmonieuse et ont des enfants en bonne santé. Elles mangent souvent plus sainement que les très jeunes femmes, ce qui leur permet de mieux gérer la fatigue après la naissance.

AUX USA,
le nombre de naissances a chuté ces dernières années, tandis que la moyenne d'âge des primipares s'est élevée à 23 ans.

Le secret enfin révélé !

L'heure de la première échographie approche. Si vous avez la confirmation que tout va bien, vous pouvez annoncer la nouvelle à votre entourage.

✳ Souriez !

Cette échographie fournit une première image de votre enfant et vous allez entendre battre son cœur pour la première fois. Elle permet de vérifier que le fœtus est viable et qu'il se développe normalement. Dans la plupart des cas, tout va bien ! À cette date, le risque de fausse couche n'est plus que de 5 %. L'échographie ne fait aucun mal ni à votre compagne, ni à l'enfant, mais l'examen peut être légèrement inconfortable, car la future maman doit avoir la vessie pleine. Le médecin prend des mesures pour évaluer la date de l'accouchement, il vérifie le nombre de bébés et peut détecter certaines anomalies, notamment en observant le développement de la colonne vertébrale, des membres et des organes.

✳ Annoncez la nouvelle !

Si vous n'avez rien dit jusqu'à présent, vous pouvez annoncer la bonne nouvelle à votre entourage. En parlerez-vous d'abord aux grands-parents, aux frères et sœurs ou aux amis ? Sans doute attendrez-vous

LES BRÛLURES D'ESTOMAC dont souffre votre femme sont dues au relâchement d'une valve au sommet de l'estomac, qui permet habituellement d'éliminer les acidités.

VOTRE BÉBÉ A DES RÉFLEXES ET PEUT RÉAGIR À UN CONTACT LÉGER.

 ## Oui

Soyez présent lors de la première échographie. C'est une expérience unique à ne pas manquer !

Posez toutes les questions qui vous viennent à l'esprit !

Gardez le cliché pour le montrer à vos proches et à votre enfant plus tard.

 ## Non

Ne paniquez pas ! L'échographie sera sûrement positive.

N'attendez pas que tout votre entourage saute de joie à l'annonce de cette grossesse. Seul, votre bonheur compte !

N'informez pas vos proches amis et parents en dernier. Vous aurez besoin d'eux.

que tous les proches aient appris la nouvelle de vive voix avant de l'annoncer sur les réseaux sociaux. Ne vous inquiétez pas des réactions : certains diront peut-être «fini la liberté et bonjour les nuits sans sommeil !». D'autres vont se montrer jaloux. Ne prenez pas tous les commentaires à la lettre, chaque expérience est unique !

✳ **Dialoguez !**

Maintenant que la nouvelle est officielle, vous croulez sous les conseils. De nombreuses informations vous sont données, y compris sur Internet : apprenez à faire le tri.

Fiez-vous aux personnes en qui vous avez confiance, notamment les papas expérimentés. Il est rassurant de dialoguer avec quelqu'un qui comprend ce que vous êtes sur le point de vivre. Et sachez que vous allez également rencontrer de futurs parents lors des cours d'accouchement.

QUELS PROJETS faites-vous pour votre enfant ? Qui va s'en occuper et pendant combien de temps ? Et si c'était vous ?

LA FUTURE MAMAN

Enceinte et rayonnante

Vous démarrez le 2ᵉ trimestre de grossesse.
Vous en avez effectué la partie la plus déroutante
et vos nausées ne seront bientôt plus qu'un mauvais
souvenir. Votre ventre s'arrondit à vue d'œil.

✳ Votre grossesse se voit enfin !

Vous vous sentez moins fatiguée et votre ventre commence vraiment
à s'arrondir. Le gynécologue peut désormais palper votre utérus sans
risque. Si vos seins sont moins sensibles, ils continuent à prendre un
peu d'ampleur. À la fin du mois, vos glandes mammaires seront prêtes
à sécréter le lait maternel. Chez certaines, un liquide jaunâtre s'écoule
des mamelons : il s'agit du colostrum, la première production de lait.

✳ Que se passe-t-il en vous ?

Le taux de globules rouges monte rapidement afin d'acheminer
l'oxygène dont votre corps a besoin pour nourrir le fœtus. Le plasma
augmente également afin de gérer le flux sanguin vers vos organes,
vers la peau et les reins, notamment. Votre cœur travaille deux fois
plus, tandis que votre système digestif ralentit.

✳ Les petits désagréments

À ce stade de la grossesse, certains symptômes sont fréquents : nez
et oreilles bouchés, petits saignements des gencives, ronflements...
N'ayez crainte, ces signes montrent que votre corps fonctionne

à plein régime pour répondre à vos besoins et à ceux du fœtus. La circulation sanguine accrue envoie plus de sang dans vos muqueuses, qui ont tendance à enfler au contact de l'air, notamment au niveau du nez, de la trachée et des poumons.

✳ Au secours, je change de couleur !

Il est tout à fait normal que vos mamelons et vos muqueuses génitales s'assombrissent sous l'effet des globules rouges. Vous verrez peut-être une ligne verticale sombre apparaître du nombril au pubis : elle porte le nom de *linea nigra*. Des zones sombres se dessinent parfois sur les pommettes, le front, le nez et le menton, elles constituent le masque de grossesse ou chloasma. Ne vous en inquiétez pas, ces changements pigmentaires s'atténuent après la naissance du bébé. En revanche, ces taches foncent si vous vous exposez au soleil. Il est donc nécessaire d'utiliser un écran total afin de réduire les risques de coloration à long terme. Votre peau est plus sensible, protégez-la !

GARE AUX VERGETURES !
Elles ont la forme de stries blanches et sont de petites déchirures des fibres cutanées dues à l'extension rapide de la peau. 80 % des femmes enceintes en ont. Ces traces s'éclaircissent ensuite, mais ne disparaissent pas complètement. Il faut donc les prévenir en se massant le ventre, les seins, les hanches et les cuisses avec une crème hydratante afin de maintenir l'élasticité de la peau. L'huile d'argan est reconnue pour ses bienfaits en ce domaine.

Vos muqueuses vaginales sont bien lubrifiées et se prêtent à une activité sexuelle épanouie.

L'annonce de l'heureux événement

Vous retrouvez de l'énergie et votre humeur est plus stable, vous êtes moins anxieuse et plus sereine ?
Il est temps d'annoncer la nouvelle !

✳ Détendez-vous !

Vos hormones agissent avec moins d'intensité. Le risque de fausse couche étant plus réduit qu'au premier trimestre, c'est en général à cette période que les futurs parents annoncent la nouvelle. Vous vous sentez plus énergique et positive. Le moment est propice pour aborder des questions concrètes, telles que les cours de préparation à l'accouchement.

✳ Faut-il le dire à tout le monde ?

Sachez que cet heureux événement risque d'alimenter toutes les

LE SAVIEZ-VOUS ?

VOTRE UTÉRUS ayant quitté la zone pelvienne, vos envies pressantes sont maintenant moins fréquentes.

45 %

À L'ISSUE DE CE MOIS, VOTRE CORPS VÉHICULERA 45 % DE SANG EN PLUS.

conversations. Êtes-vous prête ? Sur votre lieu de travail, il est utile de régler les questions du congé de maternité, mais rien ne vous y oblige déjà, la loi ne prévoit pas de date officielle. À vous de juger ! Pour votre employeur, ce n'est pas une bonne nouvelle, cela pose des problèmes d'organisation avec des conséquences financières.

> *Vos seins produisent-ils déjà du colostrum ? Ce sera le premier lait de Bébé.*

❋ Restez coquette !

Franchissez cette étape en adoptant des vêtements qui s'harmonisent avec votre nouvelle silhouette. Au cours des premiers mois, pantalons taille basse, tuniques un peu longues, vêtements stretch font l'affaire. Au troisième trimestre, le choix sera plus restreint. L'essentiel est de se sentir confortable en toutes circonstances.

❋ Gardez le sourire !

Quand tout le monde sera informé, vous aurez peut-être l'impression d'être au cœur de toutes les attentions. Félicitations, cadeaux, sourires, toutes ces marques d'intérêt sont en général bienveillantes et agréables. C'est aussi un excellent moyen de créer le dialogue et de faire des rencontres. Hélas, vous entendrez aussi mille anecdotes sur les affres de l'accouchement ou les nuits sans sommeil. Certains voudront même vous toucher le ventre. Si cela vous ennuie, préservez votre intimité en refusant : montrez-vous ferme en gardant le sourire.

Les ovaires d'un bébé fille recèlent environ 2 millions de minuscules ovocytes.

Un tout petit être

Bébé vient d'achever la partie la plus délicate de son développement. À la 13ᵉ semaine, ses organes sont en place, ses fonctions essentielles sont établies et ses muscles se renforcent.

❋ Un réseau de communication

Les nerfs reliés au cerveau du bébé s'enrobent d'une couche grasse protectrice, appelée myéline, qui assure la transmission des messages cérébraux aux muscles du corps.

❋ Bébé est actif

Désormais, ses muscles peuvent se contracter et se détendre, de sorte qu'il peut se mouvoir, tendre les bras et les jambes, se retourner, se tenir les mains… Vous pourrez admirer ces exploits lors de votre deuxième échographie. Quand vous appuyez sur votre ventre, il réagit en gigotant, mais vous ne le sentez pas encore, car il est enveloppé d'une bonne quantité de liquide amniotique.

CROISSANCE DU BÉBÉ : 40 %

| 10% | 20% | 30% | 40% |

LE SAVIEZ-VOUS ?

À 16 SEMAINES, Bébé pèse environ 90 g et mesure de 10 à 12 cm. Ce mois-ci, il grandira de 5 cm.

QUELLE TAILLE ?
Il est gros comme une orange.

✳ Bébé boit et fait pipi

Ce mois-ci, ses reins commencent à fonctionner. Il avale un peu du liquide dans lequel il flotte. Son urine sera éliminée dans la poche des eaux.

✳ Il prend son indépendance

À la fin de ce mois, le fœtus fabrique des globules rouges dans son propre corps (moelle osseuse, foie et bile) au lieu de dépendre d'une source extérieure. Votre bébé et son placenta produisent également leurs hormones, prenant la relève de votre ovaire, y compris les œstrogènes et la progestérone nécessaires jusqu'à l'accouchement.

✳ Fille ou garçon ?

Le processus de différenciation s'achève lors de la 14e semaine. Des follicules ovariens chez la fille, ou la prostate chez le garçon, commencent à apparaître. Les organes sexuels externes sont maintenant visibles, mais parfois trop petits pour être identifiables à l'image avec certitude.

Le cerveau se développe pour envoyer des messages au reste du corps.

Le placenta mesure environ 1 cm d'épaisseur et 8 cm de largeur.

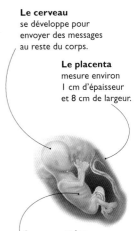

Le cœur et les poumons sont maintenant formés.

60%   70%   80%   90%   100%

4^e

4e MOIS

Semaines 13 à 16
LA CROISSANCE DU BÉBÉ

Le cou de Bébé se dessine.
Il peut maintenant redresser la tête.

Un nouvel univers sensoriel

Les yeux et les oreilles du fœtus se développent rapidement : il peut maintenant voir et entendre. Ses papilles gustatives et ses terminaisons nerveuses lui procurent des sensations au gré de ses mouvements.

Quel vacarme à l'intérieur!

✳ L'ouïe

Les oreilles du fœtus se mettent en place et les os minuscules qui les composent durcissent. Désormais, il entend les battements de votre cœur, les pulsations de votre sang et même les gargouillis de votre estomac. Il peut aussi détecter des sons provenant de l'extérieur, ainsi que votre voix. Ses propres cordes vocales se développent à la 13e semaine.

LE LIEN SE CRÉE avec le bébé bien avant la naissance. Parlez-lui d'une voix douce quand il est calme et chantez-lui des chansons plus entraînantes quand il bouge.

✱ La vue

Il garde les paupières fermées, mais ses yeux sont formés. De minuscules cils et sourcils sont visibles. Sa rétine est sensible à la lumière. Il peut distinguer une lumière vive qui filtre à travers la paroi de l'abdomen, ce qui lui permet de faire la distinction entre le jour et la nuit.

✱ Le goût

Des papilles gustatives sont en train d'apparaître sur sa langue et 32 bourgeons dentaires se développent dans ses mâchoires. Le fœtus s'entraîne également à respirer avec ses narines en avalant du liquide amniotique.

✱ Le toucher

Il peut remuer les orteils et plier les doigts. Ses bras sont assez longs pour qu'il puisse sucer son pouce.

✱ Des expressions

Les os et muscles faciaux sont en place, il peut donc manifester toutes sortes d'expressions, comme froncer les sourcils, sourire, plisser les yeux et le front… même si le cerveau ne contrôle pas totalement ces mouvements.

EN RÉPUBLIQUE DÉMOCRATIQUE DU CONGO, les femmes enceintes ont coutume de chanter une seule et même chanson à leur bébé jusqu'à la naissance. Lorsqu'il est né, elles reprennent le même air pour le réconforter. Une excellente idée à adopter !

Je suis distraite !
10 PETITS TROUBLES DU MILIEU DE GROSSESSE

Le top 10

QUE FAIRE ?

1

La distraction
Vous êtes beaucoup plus distraite que d'habitude.

Notez tout ce que vous avez à faire ou réduisez le nombre de tâches en les déléguant, dans la mesure du possible.

2

La maladresse
Vous ne cessez de faire tomber vos clés, de vous cogner, de casser des objets.

Concentrez-vous et ralentissez le rythme, redoublez de prudence dans la baignoire, dégagez couloirs et escaliers. Ne montez jamais sur une chaise pour atteindre un placard.

3

Des ballonnements
Vous avez l'abdomen gonflé et vous vous sentez mal à l'aise.

Évitez les boissons gazeuses et les légumes secs. Privilégiez des repas légers et simples. Buvez une tasse d'eau chaude. Faites de l'exercice et portez des vêtements amples.

4

Des brûlures d'estomac
Reflux acides, brûlures d'estomac et autres maux digestifs vous incommodent.

Évitez les aliments déclencheurs – jus d'orange, chocolat, plats épicés, etc. – Mangez peu, mais souvent. Prenez un pansement gastrique, c'est sans risque pour le bébé.

5

Ongles et poils
Vous avez les ongles cassants, des cheveux qui ondulent et un duvet disgracieux sur le visage.

Lors des travaux ménagers, protégez vos ongles avec des gants. N'hésitez pas à vous épiler, mais évitez produits décolorants et crème dépilatoire.

AU COURS DE CE TRIMESTRE, vous devriez vous sentir beaucoup mieux. Les œstrogènes supplémentaires que vous produisez risquent cependant de créer de nouveaux symptômes.

LES INFUSIONS (réglisse, prêle et souci) soulagent les brûlures d'estomac.

QUE FAIRE ?

6 **Des problèmes de peau**
Vous avez l'impression de ne pas vous reconnaître dans le miroir…

Acné, varicosités, boutons sont fréquents au cours de la grossesse. Utilisez une lotion nettoyante et hydratez votre peau. N'oubliez jamais l'écran total pour aller au soleil.

7 **Des douleurs abdominales**
Vous souffrez d'élancements dans le bas du ventre.

Ils peuvent indiquer un problème de symphyse pubienne (voir p. 233). Prenez un avis médical. Dans toutes vos actions, ne faites pas de gestes brusques et ne portez pas d'objets lourds.

8 **Le nez bouché**
Vous n'êtes pas enrhumée, mais vous avez sans cesse le nez bouché.

Environ 30% des femmes enceintes souffrent de rhinite. Faites des inhalations et nettoyez-vous avec une solution saline. Parfois, rien n'y fait ! Patience, le trouble disparaîtra tout seul.

9 **Des saignements de nez**
Quand votre nez n'est pas bouché, il saigne !

Des saignements de nez peuvent survenir plus fréquemment à cause de l'afflux sanguin dans la muqueuse nasale. Pour les éviter, mouchez-vous avec précaution, une narine à la fois.

10 **Des bouffées de chaleur**
Vous vous réveillez en nage et avez des bouffées de chaleur.

Portez plusieurs couches de vêtements pour vous mettre à l'aise quand elles surviennent. Elles cesseront après l'accouchement… jusqu'à la ménopause.

4 ᵉ MOIS

LE SHOPPING
DES FUTURS PARENTS

SOLLICITEZ VOS AMIS, ils seront sans doute ravis de vous prêter du matériel !

LE SAVIEZ-VOUS ?

LA PREMIÈRE ANNÉE, le budget consacré au bébé peut être conséquent, 1000 € en moyenne, comprenant la garde de l'enfant.

L'équipement de base

De quoi aurez-vous besoin au cours des premiers mois ? En Finlande, depuis 1930, l'État offre à chaque nouveau-né une boîte, contenant la layette et le matériel essentiel, qui devient ensuite son berceau. Cette tradition tend à démontrer qu'un bébé peut se contenter de peu. Voici quelques conseils :

Les indispensables (voir p. 92-93)

Dès les premières semaines, vous aurez besoin d'une nacelle pour la voiture, d'un lit ou d'un berceau, etc.

La valise (voir p. 122-123)

Prévoyez tout ce dont vous aurez besoin pour votre séjour à la maternité, y compris votre dossier médical.

La garde-robe de Bébé (voir p. 150-151)

Bodies, pyjamas, bonnet…, il a besoin de peu et ses tenues seront vite trop petites. Inutile de faire de grandes dépenses !

Soyez actif !

Vous entrez dans le 2ᵉ trimestre de la grossesse, une étape plus facile à vivre pour votre femme grâce à la disparition des nausées, mais aussi pour vous, car la future maman retrouve son énergie et sa bonne humeur.

✱ Bougez, marchez, dansez !

Pour vous occuper d'un nourrisson, vous devrez être en pleine forme tous les deux. En outre, votre femme vivra mieux son accouchement si elle est en bonne condition physique. Trois ou quatre séances d'exercices par semaine vous feraient le plus grand bien, physiquement et psychiquement (voir p. 210). Si vous n'êtes pas sportifs, prenez l'habitude de marcher ensemble d'un pas vif ou allez danser. Prenez soin d'elle, méfiez-vous des risques de chute et des exercices trop intenses qui font grimper la température du corps.

✱ Faites l'amour !

Il existe un autre type d'exercices à faire à deux... Les modifications hormonales stimulent parfois la libido et certaines femmes ont un désir sexuel accru. En outre, elles bénéficient d'une meilleure irrigation vaginale qui peut les rendre plus sensibles au plaisir. Si c'est le cas, saisissez cette occasion pour resserrer les liens qui vous unissent. Après l'arrivée du bébé, la vie sexuelle est parfois

LES FEMMES seraient plus attirées par les hommes qui aiment les enfants.

LES LIGAMENTS DE VOTRE FEMME SONT PLUS FRAGILES. SI VOUS FAITES DU SPORT ENSEMBLE, VEILLEZ À CE QU'ELLE ÉVITE LES EFFORTS VIOLENTS.

BÉBÉ MESURE maintenant 12 cm et les os souples de son squelette durcissent.

perturbée par la fatigue des nuits difficiles. Toutefois, certaines d'entre elles réagissent à l'inverse : il faut alors trouver d'autres moyens de manifester sa tendresse.

LA DEUXIÈME ÉCHOGRAPHIE APPROCHE !
Allez-vous demander le sexe de votre enfant ?

✳ Où en est votre libido ?

La grossesse, parfois, modifie la libido masculine : certains hommes trouvent un ventre arrondi très désirable, d'autres ont quelques réticences. Quoi qu'il arrive, vous allez avoir un enfant ensemble et devez être plus unis que jamais. Si vous êtes inhibé par la peur de faire mal au bébé : rassurez-vous ! Le fœtus est protégé des secousses par le liquide amniotique et les muscles puissants de l'utérus.

 **Oui**

Partez ensemble en week-end et prenez soin de votre femme.

———————

Faites la grasse matinée avec elle. À l'avenir, les occasions seront plus rares.

———————

Expérimentez de nouvelles positions sexuelles pour augmenter le confort.

 Non

Ne boudez pas si elle exprime moins de désir, rassurez-la : dites-lui que vous aimez ses nouvelles courbes.

———————

Ce n'est pas le moment de l'emmener faire 10 km de jogging en forêt !

———————

Ne négligez pas votre forme physique. Vous serez bientôt moins disponible.

Semaines 17 à 21

LA FUTURE MAMAN

À mi-parcours

La 20ᵉ semaine marque la moitié de votre grossesse. Vous allez commencer à sentir les mouvements du bébé, une sensation étrange et exaltante. Vous êtes pleine d'énergie : profitez-en pour être active !

✳ Des chatouillements de l'intérieur

Vous sentez de légers coups dans le ventre, d'abord difficiles à identifier, car ce sont des sensations nouvelles. S'agit-il vraiment du bébé ou simplement de spasmes digestifs ? Les premiers signes se produisent entre la 20ᵉ et la 25ᵉ semaine, mais peuvent survenir plus tôt, dès la 13ᵉ semaine, lorsqu'il s'agit d'une deuxième grossesse.

✳ Bougez !

Prenez le temps de faire de l'exercice, en douceur (voir p. 210 à 215), surtout si votre premier trimestre a été éprouvant. Marchez, nagez, faites du yoga, du tai-chi… Vous avez l'embarras du choix. Il existe des cours de yoga pour femmes enceintes, qui aident à mieux comprendre les changements du corps. On y apprend à respirer, à se détendre, à pratiquer des techniques utiles pour l'accouchement.

✳ Des douleurs dans les côtes

Si vous avez mal dans les côtes, ce n'est peut-être pas uniquement dû à la fatigue. Les œstrogènes assouplissent les tissus conjonctifs, tandis que la progestérone détend les muscles, les ligaments et les tendons.

BÉBÉ EST PLUS ACTIF quand vous êtes assise, allongée ou dans votre bain. Profitez de ces moments pour ressentir pleinement sa présence.

BON POUR LA SANTÉ !
Riches en calcium et en vitamine D et K, les produits laitiers sont bons pour les os.

Ces sensations d'élongation dans le bas du ventre ou sur les côtés viennent sans doute des ligaments qui entourent l'utérus. Vous ressentez peut-être une douleur quand vous vous levez brusquement, quand vous vous retournez ou quand vous toussez. Pour vous soulager, respirez lentement, imaginez l'oxygène qui vient apaiser ces ligaments tendus, puis détendez la zone en soufflant. Penchez-vous en avant, en appui sur un coussin, vous vous sentirez mieux.

❋ Adaptez votre posture !

Votre ventre est bien rond, de sorte que votre centre de gravité se déplace pour s'adapter au poids de l'avant du corps. Le bas du dos est plus cambré, ce qui sollicite davantage certains muscles. Apprenez à vous asseoir et à vous lever en tenant compte de cette nouvelle morphologie (voir p. 214), vous éviterez ainsi des douleurs ultérieures. Quand vous êtes assise, chez vous ou au bureau, posez les deux pieds à plat sur le sol, le dos bien soutenu afin que votre colonne vertébrale soit alignée. Appuyez les omoplates contre le dossier, en ajoutant au besoin un coussin dans le dos, afin d'ouvrir la cage thoracique et soulager d'éventuelles tensions dans les épaules.

81

Profitez de votre énergie pour aller au cinéma, au théâtre, au concert et faire du shopping !

Faites des projets !

Cette période, la plus calme de la grossesse, est idéale pour faire des projets et s'organiser. Pourquoi ne pas prendre des vacances en couple ? C'est aussi le moment de réfléchir à votre avenir professionnel.

✳ Voyager

L'année prochaine, avec un bébé, votre conception des vacances aura totalement changé. C'est donc le moment de profiter d'un voyage en couple (voir p. 106-107) ou avec des amis. Mais ne prenez pas de décision sans l'accord de votre médecin, car tout dépend du déroulement de votre grossesse. La plupart des compagnies aériennes acceptent les femmes enceintes jusqu'au 7ᵉ mois. Mieux vaut prendre l'avion avant la 28ᵉ semaine : le trajet serait moins confortable ensuite. La voiture n'est pas le moyen de transport idéal, à cause des vibrations qui peuvent déclencher des contractions. Même avec un gros ventre, la ceinture de sécurité est obligatoire : ne pas la mettre fait courir de grands risques au bébé en cas de choc. Placez la sangle ventrale sous le ventre, le plus bas possible sur l'os du bassin, et l'autre entre les seins. Évitez les longs trajets et, si possible, préférez le train, qui ne présente aucune contre-indication.

LE SAVIEZ-VOUS ?

VOTRE UTÉRUS a maintenant tellement grossi qu'il se trouve désormais au niveau du nombril.

50 %

À LA 20e SEMAINE, votre activité cardiaque augmente de 30 à 50 %.

✳ Soyez raisonnable !

Un séjour au bord de la mer sera sans doute plus agréable que la visite effrénée d'une ville ou une randonnée en haute montagne. Si vous partez à l'étranger, évitez les pays nécessitant des vaccins. Et surtout, protégez-vous du soleil ! Profitez-en pour lire, rêver, nager et parler de l'avenir avec votre homme. À distance du quotidien, vous y verrez plus clair pour prendre des décisions en toute sérénité.

✳ Être enceinte et travailler

Vous pouvez bénéficier d'un aménagement des horaires si vous êtes en horaires décalés ou pour ne pas emprunter les transports en commun aux heures de pointe. Cela dépend de la convention collective de votre entreprise. Demandez-la ! Et si votre poste vous expose à des tâches difficiles (port de lourdes charges, gestes dangereux…), un certificat médical permet d'en être exemptée ou d'être déplacée temporairement à un autre poste en gardant votre salaire. Si votre entreprise n'en a pas la possibilité, vous serez dispensée de travail et indemnisée par la Sécurité sociale. Renseignez-vous auprès de votre caisse d'assurance maladie.

✳ Pensez à votre avenir !

Souhaitez-vous cesser de travailler, demander une disponibilité ou opter pour un emploi à temps partiel ? S'il s'agit d'un premier enfant, vous ne pourrez pas obtenir de Congé parental d'éducation (CPE), mais il est possible de solliciter un temps partiel dans la mesure où de tels postes existent dans votre entreprise. Prenez rendez-vous à la CAF dont vous dépendez.

Dès la 17e semaine, l'appareil reproductif du bébé est achevé.

Il s'agite en tout sens

À l'occasion de cette deuxième échographie, vous assisterez au spectacle magique de votre bébé en mouvement. Il peut maintenant s'étirer, se retourner et vous donner des coups de pied.

✳ Les muscles se renforcent

Un embryon possède peu de fibres musculaires, mais elles constituent la base de celles qui se mettent en place au stade fœtal. À présent, les muscles de votre enfant s'étoffent. Les mouvements, qu'il pourra bientôt contrôler, sont plus puissants. Pour l'heure, ils ne sont pas volontaires, car les parties du cerveau qui les contrôlent ne se développent qu'au début du 3e trimestre.

✳ Il plie les jambes

À ce stade, Bébé n'a pas encore d'articulations. Le squelette est d'abord formé de cartilage, qui durcira pour devenir des os. Les espaces situés entre deux os constituent les futures articulations : coudes, genoux, cou, épaules, hanches, jointures des doigts, pouces et poignets s'emplissent de cellules très denses. La première articulation à se former est celle du genou.

CROISSANCE DU BÉBÉ : 50 %

| 10% | 20% | 30% | 40% |

À 20 SEMAINES, Bébé pèse environ 225 g. Au cours de ce mois, il grandit de 3 à 5 cm.

QUELLE TAILLE ?
Bébé a la taille d'une banane.

✳ Une coopération étroite

Les neurones du système nerveux central se développent et la myéline qui entoure les nerfs est en formation : cela favorise les transmissions nerveuses vers les muscles qui se font de plus en plus actifs. Les fibres musculaires se contractent et font ainsi bouger les os. Ce stade est essentiel pour la formation des articulations. Le mouvement stimule les cellules des zones situées entre les os et certaines d'entre elles deviennent des articulations au lieu de suivre le chemin normal qui les transforme en cartilage. Plus vous sentez le bébé s'agiter, plus ses articulations se développent et plus il tonifie ses muscles. Réjouissez-vous de cette gymnastique, même quand elle vous réveille la nuit !

✳ Des mouvements variés

Les différentes articulations offrent au fœtus une large gamme de mouvements. Il peut plier les coudes et les genoux en avant, mais aussi en arrière, et décrire des rotations des hanches et des épaules.

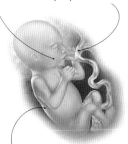

Des bourgeons de dents de lait et de dents définitives sont en place.

Son pouce est assez long pour qu'il puisse le sucer.

La colonne vertébrale est droite, les vertèbres sont visibles.

5e MOIS

Semaines 17 à 21
LA CROISSANCE DU BÉBÉ

Ce mois-ci, bébé va doubler de poids, notamment grâce au volume de graisse.

Bien au chaud !

La peau de votre enfant est encore translucide, mais les couches de graisse qui se forment l'opacifient peu à peu. Cette graisse le protège et lui tiendra chaud après sa naissance.

✳ Un tissu adipeux très utile

Tant que Bébé baigne dans le liquide amniotique, sa température se régule d'elle-même. Dans le monde extérieur, il aura besoin d'être enrobé de graisse pour préserver la chaleur de son corps. Des dépôts de tissu adipeux, qu'on appelle aussi graisse brune, commencent à se développer, surtout autour de son torse. La graisse brune est également une source essentielle d'énergie dans l'éventualité où il devrait être réanimé à la naissance ou bien s'il tombait malade dès les premiers jours.

✳ Une couche protectrice

Au cours du 5e mois, une substance cireuse et blanchâtre appelée *vernix caseosa* se développe sur la peau du fœtus. Ce vernis, produit par les glandes sébacées, se mélange aux cellules mortes de sa peau, qui se renouvellent sans cesse. Il protège la peau du bébé des effets de l'immersion dans le liquide amniotique, qui contient des éléments antibactériens. Il servira aussi de lubrifiant lors de l'accouchement.

L'ÊTRE HUMAIN est le seul petit primate à développer des glandes sudoripares sur tout le corps.

LES FOLLICULES PILEUX du fœtus indiquent déjà s'il aura les cheveux raides, bouclés ou frisés.

❋ Réguler la température

Deux types de glandes sudoripares se développent au cours de ce mois. Des glandes eccrines, qui émettent une sueur inodore, s'établissent sur les paumes de la main et sous les pieds, et des glandes similaires vont s'implanter sur tout le corps pour l'aider à se rafraîchir. Des glandes apocrines, responsables de la sueur odorante, apparaissent aussi, mais la plupart disparaîtront au 7e mois pour ne laisser que celle des aisselles, de la zone pubienne, des lèvres et des mamelons. Ces glandes restent ensuite au repos jusqu'à la puberté.

❋ Un bébé couvert de duvet

Dès la 12e semaine, le fœtus a des sourcils et des cils. Ensuite, vers la 16e semaine, les follicules pileux apparaissent sur le cuir chevelu selon un schéma qui détermine l'implantation des cheveux. À 20 semaines, un duvet couvre tout le corps. On ne connaît pas vraiment son utilité. Pour certains, il maintient la chaleur, pour d'autres, il protège la couche de vernis. Le système pileux se développe sur le haut du corps, puis progressivement vers le bas. Lorsqu'il atteint les jambes, les poils des bras peuvent être assez longs. Pas d'inquiétude ! Ils tombent vers la 36e semaine. À partir de la 24e semaine, de vrais cheveux recouvrent la tête.

5e

MOIS

À l'échographie, vous aurez peut-être la chance de voir votre enfant sucer son pouce, bâiller et s'étirer.

C'est l'occasion de vérifier la position du placenta.

La deuxième échographie

Votre enfant a beaucoup grandi : cet examen permet de vérifier son anatomie, de contrôler la place du placenta et parfois de découvrir s'il s'agit d'une fille ou d'un garçon.

✳ À quoi sert-elle ?

Réalisé entre la 20e et la 22e semaine de grossesse, cet examen a pour objectif essentiel de surveiller le développement de l'enfant afin de détecter le plus tôt possible toute anomalie physique, une *spina-bifida* ou une insuffisance cardiaque, par exemple. On observe également l'emplacement du placenta. S'il est trop bas, un accouchement naturel risque d'être plus compliqué. Dans ce cas, il faudra vérifier s'il remonte, vers la 36e semaine.

L'ÉCHOGRAPHIE EN 3D ET EN 4D est maintenant possible et remboursée par la Sécurité sociale.

✳ Que se passe-t-il ?

Comme lors de la première échographie, vous devez, au préalable, boire beaucoup d'eau afin que votre vessie soit pleine. Le médecin enduit votre ventre de gel et passe une sonde afin d'obtenir une image sur écran que vous pouvez découvrir avec lui.

✳ Quelle sera la date de l'accouchement ?

Aujourd'hui, on ne détermine plus l'âge précis du fœtus en mesurant la longueur de son corps. On calcule désormais le diamètre de la tête, ou diamètre bipariétal (BIP), le diamètre de l'abdomen au niveau de l'ombilic et parfois la longueur du fémur.

✳ Fille ou garçon ?

Le médecin est susceptible de voir le sexe du bébé. Vous pouvez refuser qu'il vous le dise si vous souhaitez garder la surprise pour le jour J. Dans le cas contraire, n'oubliez pas qu'il peut se tromper : si le bébé est mal positionné, on ne peut déterminer le sexe avec certitude.

✳ Et si l'échographie révèle une anomalie ?

Si l'échographiste détecte ou suspecte une anomalie morphologique, il vous fera part des risques et des mesures à prendre. À ce stade, le diagnostic est rarement précis, un second examen de contrôle, parfois dans un centre pluridisciplinaire de diagnostic prénatal (CPDPN), sera sans doute nécessaire pour confirmer cette suspicion.
S'il existe une maladie héréditaire dans votre famille, n'oubliez pas de le signaler au médecin.
Et rassurez-vous, le pourcentage d'enfants concernés par une anomalie ne dépasse pas 3 %.

Une image nette

Sur cette image, le fœtus a un aspect plus humain. On distingue ses membres, ses doigts, ses orteils et peut-être même ses traits. Sa tête semble disproportionnée par rapport au reste du corps, comme chez la plupart des nouveau-nés. Désormais, il a moins de place pour se mouvoir dans l'utérus, mais on peut parfois le voir tendre une jambe ou un bras.

Les traits du visage sont maintenant distincts. À qui ressemble-t-il ?

Dans cet espace confiné, le bébé a besoin de se dégourdir les membres.

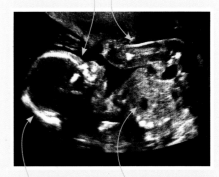

Les os solides du crâne apparaissent en blanc.

On vérifie le cœur pour voir s'il fonctionne bien et s'il est bien formé.

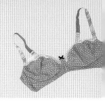

5e MOIS

Après la fatigue du premier trimestre, vous avez retrouvé toute votre énergie et vous êtes au sommet de votre forme. Le moment est idéal pour faire quelques emplettes.

Une photo souvenir ?

Au fil des mois, vous adaptez votre garde-robe à votre silhouette. Pourquoi ne pas immortaliser ces changements à différents stades ?

Un jean moulant ?

Vous pouvez porter en toute sécurité des jeans stretch munis d'une ceinture élastique. Si vos jambes sont fines, choisissez un slim, il les mettra en valeur et accentuera avec bonheur vos courbes arrondies : les vêtements larges alourdissent la silhouette !

Trois astuces pour réussir vos photos

Des photos de votre silhouette à différents stades de la grossesse constitueront de magnifiques souvenirs. Vous pourrez plus tard les regarder avec votre enfant !

Le cadre

Dans votre jardin, chez vous ou à l'occasion d'une promenade, peu importe ! Choisissez un cadre dans lequel vous vous sentez bien, afin de vous montrer détendue.

Soignez votre apparence

Profitez-en pour aller chez le coiffeur. Maquillez-vous légèrement, portez une tenue sobre et élégante et optez pour des vêtements moulants afin de mettre votre ventre en valeur.

L'éclairage

Un bon éclairage peut faire toute la différence. Choisissez une lumière douce et naturelle. Un coucher de soleil peut mettre votre silhouette en relief.

AU FIL DES MOIS, vos seins changent de forme et de taille. Oubliez pour un temps les soutiens-gorge à armature, car celles-ci risquent de nuire à l'acheminement du lait maternel. Optez pour des soutiens-gorge de grossesse, ils offrent un maintien solide grâce aux fibres élastiques.

Vos pieds sont enflés et votre dos souffre de la prise de poids ? Portez des chaussures souples et confortables, ni trop plates ni trop hautes.

Votre centre de gravité change à mesure que votre ventre s'arrondit. Méfiez-vous des chaussures à talons hauts. Vous devez vous sentir à l'aise pour éviter tout risque de chute.

Des chaussures neuves ?

Les chaussures de sport sont idéales pour marcher, leurs semelles absorbent les chocs et elles s'adaptent aux pieds gonflés.

Pour certaines, acheter des vêtements de grossesse constitue un rite de passage dans la maternité. Les marques spécialisées offrent des tenues élégantes et confortables.

Les vêtements de grossesse ne servent pas longtemps et ne s'usent guère. Pensez à les emprunter à vos amies ou à en acheter d'occasion, surtout pour une soirée ou une cérémonie.

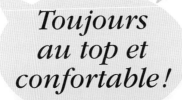

Toujours au top et confortable !

Préférez les sous-vêtements en coton, ils sont plus confortables.

91

Les indispensables
LE TROUSSEAU DE BÉBÉ

UN LANDAU,
modulable en poussette
dès que Bébé aura grandi.

UNE NACELLE
pour le transporter
en voiture.

UN PORTE-BÉBÉ
ou une écharpe de portage
pour garder les mains libres

UNE TURBULETTE
confortable, qui lui évite
de se découvrir la nuit.

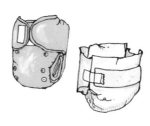

DES COUCHES
jetables ou lavables
adaptées à sa taille.

UNE CRÈME PROTECTRI
pour éviter les rougeurs
sur les fesses.

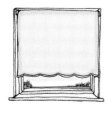

UN STORE
pour assombrir la chambre
au moment de la sieste.

UNE PETITE BAIGNOIRE
adaptée à la taille de l'enfant
et qui permet d'économiser l'eau.

UNE SORTIE DE BAIN
à capuche,
douce et chaude.

LES ARTICLES DE PUÉRICULTURE abondent, mais beaucoup d'entre eux sont superflus. De quoi avez-vous vraiment besoin ? Il vous suffit d'avoir le matériel pour coucher et transporter votre bébé, et les objets pour le nourrir et assurer ses soins.

UN COUFFIN,
avec un matelas neuf,
pour les premières semaines.

UN LIT À BARREAUX
utilisable de la naissance
jusqu'à l'âge de deux ans.

DES DRAPS DE COTON
pour le couffin
et pour le berceau.

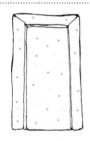

UN MATELAS À LANGER
pour changer votre bébé
en toute sécurité.

DES LINGETTES
ou du coton hydrophile
pour nettoyer ses fesses.

UN ÉCOUTE-BÉBÉ
pour l'entendre
se réveiller.

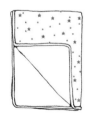

UNE COUVERTURE
en coton pour l'envelopper
le couvrir dans la poussette.

UN TRANSAT
pour qu'il puisse vous regarder
en toute sécurité.

DES CARRÉS DE TISSU
pour essuyer ou absorber
les régurgitations de lait.

Vous êtes à mi-parcours

Votre femme a désormais le ventre bien rond et sa grossesse est très visible. C'est le moment de la seconde échographie, prenez le temps d'y assister et vous serez ému de voir que le fœtus a presque l'apparence d'un nourrisson.

✳ Votre femme est belle !

Votre compagne n'est peut-être pas en accord avec vous lorsque vous dites que la transformation du corps des femmes enceintes vous semble étonnante et fascinante. Si elle a entretenu sa ligne pendant des années, imaginez ce qu'elle ressent en voyant son tour de taille s'élargir de jour en jour ! Quand elle exprime une inquiétude à ce sujet, soutenez-la : rappelez-lui que ses rondeurs sont gracieuses et rassurantes, elles sont le signe que l'enfant se développe correctement.

Oui

Proposez chaque jour à votre femme de lui passer de la crème antivergetures sur le ventre.

Profitez de ce moment pour parler au bébé afin qu'il reconnaisse votre voix.

Préparez des jus de fruits frais, pleins de vitamines, à déguster ensemble.

✳ Fille ou garçon ?

La seconde échographie dure entre une demi-heure et une heure : essayez de vous libérer pour être présent. Si vous avez décidé, avec votre femme, de demander s'il s'agit d'une fille ou d'un garçon, il est

LE FŒTUS
ressemble presque
à un nourrisson
et il entend.

LE CENTRE DE GRAVITÉ DE VOTRE
FEMME ÉVOLUE, SON ÉQUILIBRE EST
MOINS SÛR. DANS VOS PROMENADES,
TENEZ-LUI LA MAIN OU LE BRAS.

LE SEXE DE L'ENFANT
est toujours déterminé
par le spermatozoïde
et non par l'ovule.

AVEZ-VOUS CHOISI
UN PRÉNOM ?
Si aucun ne s'impose,
prenez le temps de réfléchir.
Déterminez le nom de famille
que l'enfant va porter, car il doit
être en harmonie avec lui.

Non

Ne taquinez jamais la future
maman sur ses rondeurs !

N'exprimez pas de préférence sur le sexe
de l'enfant. Le hasard et votre
spermatozoïde ont déjà fait le choix !

Ne manquez pas la
deuxième échographie !

important de partager ce moment avec
elle. Si au contraire, vous ne souhaitez pas
le savoir, réfléchissez à votre désir. Si vous avez
une préférence marquée pour l'un ou l'autre sexe, n'oubliez pas que
vous avez une chance sur deux d'être déçu. Gardez l'esprit ouvert.
La plupart des parents n'ont pas de préférence, pourvu que l'enfant
soit en bonne santé. C'est l'attitude la plus raisonnable !

✳ Un contrôle de la morphologie du bébé

L'objectif de la deuxième échographie est avant tout de vérifier la
morphologie de l'enfant. Le médecin examine la position du placenta
pour s'assurer qu'il n'obstrue pas le col de l'utérus, voie de sortie de
l'enfant (voir p. 232). Il mesure la tête, les membres et la circonférence
de l'abdomen du bébé, des indices qui permettent de contrôler
l'harmonie de sa croissance. Il s'assure que la colonne vertébrale est
bien alignée et observe les organes essentiels : poumons, cœur,
cerveau, estomac et intestins. Si le fœtus est mal positionné, un nouvel
examen sera nécessaire. Vous serez informés de la moindre anomalie,
mais rassurez-vous, la plupart des enfants naissent en bonne santé.

Vous êtes radieuse

Les petits maux de la grossesse se sont estompés ou font même partie du passé. Concentrez-vous maintenant sur les aspects positifs : vous avez une chevelure magnifique et un teint de pêche.

✳ Des cheveux soyeux

Les œstrogènes stimulent la croissance des cheveux, qui sont plus longs et plus brillants. Ils tombent moins rapidement et paraissent plus épais. Profitez de leur vigueur pour changer de coupe si vous en avez envie.

✳ Des ongles robustes

Comme les cheveux, les ongles poussent plus vite. Évitez les vernis à ongles, ils contiennent des composants toxiques. Pratiquez une manucure traditionnelle : limez vos ongles et massez-les avec de l'huile d'amande douce. Profitez de ce moment pour aller chez le pédicure : un massage des pieds stimulera la circulation sanguine.

INSTALLEZ-VOUS 15 MINUTES
tous les soirs les pieds en l'air : vous inverserez la circulation sanguine et éviterez jambes et pieds gonflés.

BON POUR LA SANTÉ !
Les figues apportent de l'énergie, sont légèrement laxatives et contiennent des sels minéraux.

✳ Une belle peau

Les femmes enceintes ont souvent le teint frais grâce à l'afflux de sang provoqué par les hormones. À ce stade, vous avez moins de boutons disgracieux. Cependant, des varicosités peuvent apparaître, provoquées par la dilatation rapide de vaisseaux sanguins, elles disparaîtront quelques mois après l'accouchement. Contentez-vous d'hydrater votre peau régulièrement. De même, si votre ventre vous semble très tendu, pensez à le masser doucement avec une huile après le bain ou la douche, sur la peau encore humide, et avec une crème hydratante avant le coucher.

✳ Lutter contre les jambes lourdes

Certaines d'entre vous souffrent d'œdèmes dus à la pression exercée par le ventre sur les vaisseaux sanguins du pubis, surtout du côté droit, ce qui provoque un afflux de sang dans le bas du corps. Cette congestion chasse l'eau vers les pieds. Les effets néfastes se font surtout sentir le soir. Pour lutter contre les jambes lourdes, évitez les longues stations debout. Relaxez-vous en plaçant les pieds en l'air, ou en hauteur sur des coussins, pour favoriser la circulation sanguine. Puis couchez-vous sur le côté gauche et faites des rotations des chevilles dans un sens et dans l'autre. Vous pouvez aussi dormir avec les pieds légèrement surélevés en plaçant un livre sous votre matelas. Ne portez pas de chaussettes qui compriment les mollets et évitez le sauna, le hammam et l'épilation à la cire chaude.

Se projeter dans l'avenir

Vous vivez pleinement votre grossesse au quotidien, mais pour les parents, avoir un enfant, c'est aussi se projeter dans l'avenir et les décisions à prendre ne manquent pas !

✳ Choisir un prénom

L'une des décisions à prendre concerne le choix du prénom et ce n'est pas d'une moindre importance. Même si vous avez demandé à connaître le sexe de votre enfant à la dernière échographie, choisissez tout de même un prénom de chaque genre, car une erreur est toujours possible. Les sources d'inspiration ne manquent pas, notamment sur Internet, pour dresser une liste. Il faut se mettre d'accord avec le papa – ce n'est pas toujours simple – et veiller à ce qu'il sonne harmonieusement avec le nom de famille. Depuis 1993, les parents sont entièrement libres du choix. L'officier d'état civil qui l'enregistre ne peut plus en refuser aucun. Cependant, s'il juge que le choix va contre les intérêts de l'enfant, il en avise le procureur de la République qui peut saisir le juge des affaires familiales.

✳ Revenir aux sources ?

Le choix d'un prénom incite certains parents à renouer des liens avec leurs ancêtres, pour rendre hommage à l'un d'eux, par exemple. Vos proches vous encourageront peut-être à choisir un prénom présent dans la famille depuis plusieurs générations. N'oubliez pas

LE SAVIEZ-VOUS ?

LES PÈRES s'occupent de plus en plus de leurs enfants. Ils consacrent 44 minutes par jour, en moyenne, aux activités parentales.

Le budget consacré aux enfants représente environ un tiers des revenus des parents.

que votre enfant est issu de deux lignées distinctes, et qu'il peut être pesant, pour lui, d'assumer un lien identitaire avec un aïeul admiré par tous.

✳ **Qui gardera Bébé ?**

Si vous pensez reprendre votre activité professionnelle à la fin du congé réglementaire, il faut dès maintenant vous soucier du mode de garde. Peut-être avez-vous déjà inscrit votre enfant sur les listes d'attente des crèches collectives et familiales ? Il existe également des crèches parentales, qui exigent un investissement en temps plus important puisque chaque parent doit participer, à un moment donné, à l'accueil des enfants. Si vous n'avez pas de place en crèche, ferez-vous appel à la famille ou engagerez-vous une nourrice ? Demandez conseil à d'autres parents et faites vos calculs pour définir la solution la plus adaptée à votre situation, car le mode de garde est souvent la part la plus lourde du budget familial.

✳ **Envisager l'avenir**

Si vous pensez, vous ou votre mari, prendre un congé parental d'éducation, les revenus de la famille seront réduits. Dans certaines conditions, vous avez droit à une allocation de la CAF. Renseignez-vous auprès de cet organisme. C'est le moment de calculer votre budget : le trousseau d'un bébé (voir p. 92-93) a un coût non négligeable, mais il peut être allégé si votre entourage vous prête du matériel.

À BALI

Chaque individu porte un nom choisi parmi quatre possibilités. L'enfant reçoit celui qui correspond à son rang dans la fratrie, le même que ce soit un garçon ou une fille. Cela évite tout débat au sein des couples.

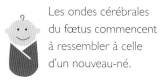

Les premiers souvenirs

Au début de ce 6ᵉ mois, le cerveau de l'enfant connaît une croissance étonnante. Les cellules responsables de la conscience des gestes et des premiers stades de la mémoire se développent.

✳ La maturation cérébrale

Les neurones se multiplient et le cortex, partie supérieure du cerveau, se développe rapidement. Cette poussée est à son apogée au 6ᵉ ou au 7ᵉ mois. Les neurones développent des transmetteurs et des récepteurs qui se relient aux autres cellules et envoient des signaux dans tout le corps autant qu'ils en reçoivent. Le fœtus peut se mouvoir délibérément et coordonner ses gestes : il gigote beaucoup à raison de 20 à 60 mouvements par demi-heure.

✳ Un tri sélectif

Le développement du cerveau n'est pas seulement lié à l'augmentation des neurones. Toutes les cellules inutiles commencent à s'autodétruire. Ainsi, 90 % environ des cellules du cortex sont éliminées parce qu'elles n'ont pas établi la bonne connexion. D'autres ont évolué et formé une couche protectrice grasse appelée myéline, qui accélère les impulsions électriques. Les réactions de votre bébé,

CROISSANCE DU BÉBÉ : 65 %

| 10 % | 20 % | 30 % | 40 % |

LE SAVIEZ-VOUS ?

À 26 SEMAINES, votre enfant pèse entre 900 g et 1 kg et mesure 29 cm. Au cours de ce mois, il va grandir de 15 cm.

QUELLE TAILLE ?
Il a maintenant la taille d'un chou.

tout comme ses perceptions sensorielles, sont maintenant plus aiguisées et plus efficaces.

✳ Des progrès étonnants

Le fœtus développe des réflexes archaïques. Entre les 24e et 28e semaines, se met en place le réflexe de Moro, une défense archaïque en réaction à un stimulus extérieur. Lorsqu'une porte claque ou qu'une alarme retentit, il se cambre et rejette ses bras en arrière. À la naissance, les nouveau-nés sont examinés afin de jauger ces réflexes qui constituent un signe de bon fonctionnement du système nerveux. Les réflexes archaïques disparaissent au bout quelques mois, car l'enfant apprend à contrôler ses mouvements.

✳ De nouvelles réactions

Grâce à des sens plus aiguisés, Bébé n'est plus seulement sensible à votre voix, mais aussi à celle de son papa. Des études montrent que les nouveau-nés reconnaissent un air de musique qu'ils ont entendu *in utero* (voir p. 72-73).

Le lanugo, fin duvet qui recouvre tout le corps, protège le vernis gras sur la peau qui, à son tour, produit une couche protectrice de cellules de kératine.

6ᵉ MOIS

Semaines 22 à 26
LA CROISSANCE DU BÉBÉ

Certaines mères notent que leur bébé donne des coups de pied au rythme de la musique.

Le jour et la nuit

Votre enfant a élaboré un cycle de sommeil et de veille, de sorte que vous pouvez prévoir quand il est le plus actif. Vous constatez que ses horaires ne correspondent pas toujours aux vôtres !

✳ Un rythme de vie

Votre enfant commence à établir un rythme circadien, cycle biologique interne de 24 heures, qui régit ses fonctions vitales, telles que la respiration, la régulation de la température et l'activité hormonale. L'horloge biologique se situe dans l'hypothalamus du cerveau et contrôle d'autres «horloges» réparties dans tout le corps pour veiller à ce que l'organisme fonctionne jour et nuit, et en toute saison. Pour l'instant, vos hormones l'aident à organiser son propre système circadien.

✳ Que se passe-t-il ?

En général, le fœtus paraît plus actif pendant 5 heures environ le matin, puis de nouveau le soir. Vous sentez ses mouvements dans la soirée et quand

LE SAVIEZ-VOUS ?

À PARTIR DE LA 24ᵉ SEMAINE, un enfant peut survivre en dehors de l'utérus grâce à des soins de néonatalogie.

17h

CERTAINS BÉBÉS peuvent bouger jusqu'à 17 heures par jour.

vous êtes dans votre lit, comme s'il s'agitait au moment où vous vous détendez et où vous essayez de dormir.

✳ Il est bien réveillé

Quand Bébé est dans une phase active, les mouvements de ses bras, de ses jambes et de ses yeux sont mieux synchronisés. Ses globes oculaires bougent derrière ses paupières closes depuis la 20ᵉ semaine environ. À la fin de ce mois, il les ouvrira et pourra cligner des yeux.

✳ L'heure de dormir

Un bébé dort selon trois étapes distinctes : une phase immobile, une phase active et une autre indéterminée. Le sommeil immobile est similaire à notre sommeil sans mouvements oculaires rapides, le sommeil actif semble être une ébauche du sommeil paradoxal avec des mouvements oculaires rapides et un cerveau très actif qui donne lieu à des rêves. Au 6ᵉ mois, le fœtus passe la plupart de ses journées en état de sommeil indéterminé, ce qui indique que son cerveau n'est pas encore capable d'organiser des activités. Au 3ᵉ trimestre, il va commencer à passer plus de temps de sommeil en phase calme et active afin de se préparer à la vie extérieure.

Semaines 22 à 26
SOINS DU CORPS ET BEAUTÉ

Quels sont les meilleurs soins pour les femmes enceintes ? Pouvez-vous vous teindre les cheveux ? Quels produits devez-vous éviter ? Apprenez à conjuguer grossesse et beauté !

Les bienfaits de l'eau chaude

Détendez-vous en vous immergeant dans une eau à température du corps, dans le noir et dans le silence complet !

Le massage indien

Plus confortable en position assise, ce massage se pratique en médecine ayurvédique. Il détend la tête, le cuir chevelu, le visage, le cou, les bras, le haut du dos et les épaules. Selon certaines études, cette méthode soulagerait maux de tête, congestions et insomnies.

L'acupuncture

Elle donne de l'énergie et soulage les douleurs du dos. Elle peut aider un bébé qui se présente en siège à se retourner.

Le visage

Des soins doux, avec gommage, massage et masque, réhydratent la peau et sont bénéfiques pour l'acné de grossesse.

Les soins esthétiques

Épilation, soins du visage, pédicure et manucure ne présentent aucune contre-indication. Pensez seulement que la peau est plus sensible.

Une bonne hydratation

Si vous avez la peau sèche, utilisez une crème riche, de préférence bio, sur tout le corps.

Les soins des cheveux

Si vous avez l'habitude de teindre vos cheveux, vérifiez que votre teinture ne comporte pas de composants toxiques (ammoniaque, paraphénylènediamine, toluène…), car les bulbes capillaires sont en connexion directe avec le réseau sanguin. Le henné est sans danger, mais faites une touche d'essai pour vérifier l'effet produit, car vos cheveux sont plus poreux.

À éviter

- Les massages profonds et les massages sportifs sont déconseillés, même sur les jambes.

- Les bains de vapeur, sauna et jacuzzi peuvent faire chuter la tension artérielle et donner des vertiges. Une température trop élevée est dangereuse également pour le fœtus.

- Les bains de boue risquent de faire monter la température et contiennent des produits chimiques qui traversent la barrière placentaire.

- Ne faites pas de séances d'UV en cabine, ils dégradent l'acide folique. Et protégez votre peau, le soleil favorise le masque de grossesse.

- La réflexologie est à éviter au 1er trimestre, mais elle est sans danger après.

Alternatives aux teintures

Si vous ne souhaitez pas utiliser de teinture permanente pendant la grossesse, testez le balayage, ou une couleur temporaire qui a moins d'ingrédients actifs.

Si vous avez un rêve de voyage lointain, pourquoi ne pas le concrétiser maintenant ? Avec un bébé ou un jeune enfant, il sera plus difficile à réaliser, et à partir de 2 ans, son billet sera au plein tarif.

Lune de miel prénatale

Cette période de la grossesse représente une dernière chance avant longtemps de faire un grand voyage en amoureux !

✳ Quand partir ?

Pour voyager, la meilleure période se situe au 2ᵉ trimestre de grossesse (entre 14 et 27 semaines), quand les nausées se sont estompées et avant d'être gênée par le poids de son ventre. Les compagnies aériennes n'imposent pas de restriction avant le 8ᵉ mois.

✳ Où aller ?

Chacun a sa conception de la destination idéale, la plus reposante et la plus romantique… Pour certains, ce sera une thalassothérapie, pour d'autres, un village de montagne ou une île tropicale. Choisissez une destination qui permette d'obtenir facilement des soins médicaux en cas de besoin. Sachez qu'au cours d'un vol long-courrier, les problèmes d'œdèmes et de circulation sanguine sont plus fréquents. De même, si vous faites de longs trajets en voiture, arrêtez-vous souvent pour vous dégourdir les jambes.

✳ Que faire en voyage ?

Une sieste dans un hamac, la lecture d'un bon livre, un bain relaxant en piscine ou un massage… Profitez de vos repas et promenades en tête-à-tête, l'occasion est idéale pour renforcer vos liens.

CONSEIL

SI VOUS VOUS DÉPLACEZ
en bus, en train ou en avion,
vous serez moins exposée
aux risques de thrombose.

7ᵉ mois

VOUS POUVEZ
PRENDRE L'AVION
JUSQU'AU
7ᵉ MOIS.

CONTEMPLER

La médecine traditionnelle chinoise préconise de contempler de beaux paysages pendant la grossesse. Un texte de l'an 290 de notre ère suggère aux futures mamans de regarder de belles images et de s'entourer de serviteurs séduisants.

COMMENT VIVRE DES NUITS SEREINES ?

1 ## Améliorez votre confort
Allongez-vous sur le côté, cela aidera le sang à affluer vers le placenta (c'est bon aussi pour Bébé !). Placez un oreiller sous le ventre et entre vos jambes pour plus de confort.

2 ## Changez vos habitudes alimentaires
Évitez de manger dans les deux heures avant le coucher et supprimez plats épicés et fritures. Gardez un médicament antiacidité sur la table de nuit en cas de digestion difficile.

3 ## Buvez tout le long de la journée
Ne buvez pas trop, mais n'attendez pas d'avoir soif ! La quantité quotidienne conseillée est de huit verres environ (eau, infusion, jus de fruits), plus un verre d'eau à l'occasion de chaque activité physique.

4 ## Faites des exercices légers
Quand vous vous êtes dépensée, votre corps est fatigué et plus détendu. Mais évitez tout exercice intense le soir pour ne pas faire monter l'adrénaline, qui empêche de dormir.

5 ## Trichez avec votre réveil
Quand le sommeil tarde à venir, regarder son réveil et voir les heures s'écouler ajoute une part de stress. Placez-le à l'autre bout de la chambre afin de ne pouvoir l'atteindre ni le consulter.

SI VOTRE VENTRE ARRONDI vous empêche de
dormir, si des pensées inquiètes vous obsèdent la nuit,
si vous faites des cauchemars, lisez les conseils ci-dessous
afin de retrouver un sommeil de bébé.

6 Déposez vos soucis dans un carnet

L'arrivée d'un enfant peut être source d'angoisses, au point
que l'esprit vagabonde au lieu de s'endormir. À ces moments
d'insomnie, notez ce qui vous inquiète, puis lisez quelques
pages pour détourner vos pensées vers d'autres sujets.

7 Chassez les cauchemars

Les femmes enceintes, surtout lorsqu'il s'agit d'une première
grossesse, font parfois des cauchemars. C'est un phénomène
naturel lié à la peur de l'inconnu. La sophrologie permet
d'apprivoiser cette anxiété, pourquoi ne pas suivre un cours ?

8 Adoptez un rituel de coucher

Trouvez un rituel qui vous convient : boire un verre de lait
chaud, écouter une musique douce, lire quelques pages
d'un bon roman…, à vous de trouver la bonne méthode !

9 Apaisez votre bébé qui s'agite

Dès que vous vous allongez, vous avez l'impression que votre
bébé se réveille et s'agite. Certains affirment qu'allumer la
radio apaise le fœtus, qui se rendort. Cela peut aussi vous
aider à détourner vos pensées des soucis.

10 Consultez votre médecin

Les longues insomnies n'affectent pas le bébé, mais elles
empêchent de vivre normalement. Si c'est votre cas,
parlez-en à votre médecin !

Budget et congés

Avez-vous réfléchi à votre budget familial ?
Connaissez-vous vos droits en matière de congés ?
Voici quelques pistes pour réfléchir.

✳ L'argent ne fait pas le bonheur…

… mais il facilite la vie. Maintenant que vous avez commencé les achats du matériel de puériculture, vous prenez conscience des dépenses liées à cette naissance. Si ce n'est déjà fait, c'est le moment d'établir un budget. Prenez le temps de faire vos comptes ! Et s'ils sont un peu justes, faites des économies en empruntant le matériel dont vous avez besoin.

✳ Le congé de paternité

Après la naissance, vous pouvez bénéficier d'un congé de paternité et d'accueil de l'enfant : il vous permettra d'être disponible pour aider la jeune maman et tisser les premiers liens avec le bébé. Le conjoint salarié peut bénéficier d'un congé indemnisé, qui débute dans les 4 mois suivant l'accouchement. Il est de 11 jours consécutifs maximum pour un enfant unique,

En France, le congé de paternité (11 jours) n'existe que depuis 2002.

EN FRANCE, LE BUDGET MOYEN, pour élever un enfant, de sa naissance jusqu'à l'âge de 18 ans, serait de 100 000 euros environ.

PARTOUT, LES PÈRES S'IMPLIQUENT DE PLUS EN PLUS DANS L'ÉDUCATION.

et de 18 jours maximum pour une grossesse multiple. Le type de contrat de travail n'entre pas en jeu, mais vous devez avertir l'employeur environ un mois avant la date de début du congé. Pour vous renseigner sur vos indemnités journalières, adressez-vous à votre Caisse primaire d'assurance maladie. Des dispositions existent aussi pour les exploitants agricoles, les intérimaires, les intermittents du spectacle et les professions libérales, qui ont également droit, sous certaines conditions, à des indemnités.

✳ Le congé parental d'éducation

Le père, comme la mère, peut bénéficier d'un congé parental d'éducation. Il permet de cesser de travailler ou de réduire son activité pour une durée déterminée. Le temps partiel doit être de 16 heures minimum. Cette disposition est accordée à condition d'avoir déjà travaillé au moins un an dans l'entreprise. En général, il n'est pas rémunéré.

Oui

Pensez à votre congé de paternité
et à vos droits.

———————————

Dressez la liste de toutes les démarches
à accomplir avant la naissance
du bébé.

———————————

Établissez un budget en fonction
de votre nouvelle vie à trois.

Non

N'attendez pas le dernier moment
pour trouver le mode garde
de l'enfant.

———————————

Ne remettez pas à plus tard les bricolages :
bientôt, vous serez moins disponible.

———————————

Ne vous plaignez pas lorsque vous
faites des courses : la maman a
besoin de votre aide.

Le corps en action

À l'aube du 3e trimestre de votre grossesse, vous vous demandez peut-être comment votre corps s'accommode de la présence du bébé qui grandit en vous. Quelle place prend-il au juste ?

❋ Le ventre est plus haut

À la 28e semaine, le sommet de l'utérus se trouve 6 à 8 cm au-dessus du nombril. Votre ventre paraît plus haut et plus large. Plus le fœtus prend du poids, plus vos organes se déplacent.

❋ Des problèmes digestifs

L'estomac et les intestins sont poussés vers le diaphragme, ce qui augmente le risque de troubles digestifs et de brûlures d'estomac. L'action des hormones vient intensifier les problèmes de transit. Les reins s'allongent à mesure que le muscle lisse se dilate.

❋ Une vessie comprimée

Les envies pressantes d'uriner ressurgissent au 3e trimestre, car le muscle de la vessie est distendu et l'utérus appuie dessus, surtout si le bébé s'est retourné et placé la tête en bas.

❋ La cage thoracique s'ouvre

La cage thoracique se modifie en réaction au développement de l'utérus et au déplacement des organes digestifs : elle s'étire vers les

VOUS AVEZ L'IMPRESSION que
Bébé est très grand lorsqu'il s'étire ?
À 7 mois, il a presque atteint
sa taille de naissance.

BON POUR LA SANTÉ !
Les poissons gras (saumon, truite,
sardines), riches en oméga-3,
sont excellents pour le bébé.

côtés, ce qui peut vous sembler
inconfortable, surtout si votre bébé
a la tête placée en haut et se présente
par le siège.

LA PRISE DE POIDS
ralentit légèrement au cours
du 7ᵉ mois, mais la pression
de l'utérus sur l'estomac
donne l'impression d'être
rassasiée plus vite.

✳ Inspirez !

Le déploiement de la cage thoracique affecte
le diaphragme. Situé à la base des poumons,
ce muscle arrondi se contracte lorsque vous inspirez et s'abaisse
pour permettre aux poumons d'expirer. Ce processus étant désormais
entravé par la position de votre utérus et de votre estomac, vous avez
du mal à inspirer profondément.

✳ Le dos cambré

La colonne vertébrale s'adapte, elle aussi, au volume de l'utérus
en soulignant ses courbes naturelles, ce qui provoque parfois
des douleurs. Si c'est le cas, faites quelques exercices posturaux,
ils vous soulageront.

✳ Des crampes dans les jambes

À partir de la 29ᵉ semaine, les crampes sont fréquentes, surtout la
nuit. Certains médecins attribuent ce phénomène à la prise de poids
qui met les muscles des jambes à plus forte contribution ou encore
à la pression de l'utérus sur les nerfs de la zone pelvienne. Si vous
sentez des élancements ou des fourmillements à l'arrière des jambes,
il est probable que la tête du bébé appuie sur le nerf sciatique,
à la base de la colonne vertébrale.

7e MOIS

Semaines 27 à 31

LA FUTURE MAMAN

À l'issue du 7e mois, vous avez pris en moyenne 7 kg.

Des hauts et des bas

La fatigue réapparaît de temps en temps, votre belle énergie du 2e trimestre s'amenuise. Peut-être avez-vous l'impression que cette grossesse n'en finit pas…

✳ Un sentiment de lassitude

Il est normal de sentir un peu de lassitude. Le métabolisme et les organes comprimés dans l'abdomen empêchent de respirer, de dormir et de se mouvoir normalement. Rien d'étonnant à ce que la vie semble moins rose ! Repoussez ou déléguez certaines tâches, que ce soit au bureau ou à la maison, et essayez de vivre sereinement la fin de la grossesse.

✳ Stress et hormones

En ce 3e trimestre, le placenta sécrète davantage de cortisol, l'hormone du stress. Elle est bénéfique au développement du bébé, mais elle peut avoir des conséquences négatives sur vous en agissant sur l'humeur. La dépression existe chez la femme enceinte, même lorsqu'il s'agit d'une grossesse désirée. Des études ont établi que le soutien des proches à cette période, matériel et affectif, a un lien de cause à effet avec une baisse du taux de cette hormone et diminue le risque de céder au stress et à la dépression. Montrez-vous favorable à l'aide qu'ils vous apportent et n'hésitez pas à les solliciter.

✳ Le matériel pour la maternité

Vérifiez qu'il ne vous manque rien pour votre séjour à la maternité (voir p. 122-123). Il vaut mieux tout acheter avant qu'il ne soit difficile de vous déplacer. Réfléchissez aux vêtements que vous souhaitez porter, notamment si vous envisagez d'allaiter, aux affaires de toilette et au trousseau du bébé (voir p. 150-151).

✳ Appelez les amis qui vous font du bien

Vous vivez peut-être mal le fait que certaines personnes de votre entourage ne se sentent pas impliquées dans votre maternité. Ce qui est devenu pour vous une préoccupation centrale ne l'est sans doute pas pour ceux qui n'ont pas encore d'enfant ni pour ceux qui ont d'autres soucis à régler. Et s'ils vous font des remarques désagréables, prenez de la distance et préférez, dans l'instant, la compagnie d'amis bienveillants.

✳ Préparez l'accouchement

Vous avez sans doute déjà effectué une ou deux séances de préparation à l'accouchement. Il est utile de poursuivre. Les exercices que vous y faites vont vous apaiser à l'approche du grand jour et les explications que vous allez recevoir sur la physiologie de la grossesse et le déroulement de l'accouchement sont essentielles pour que vous vous sentiez rassurée. Se projeter dans l'inconnu est souvent une source d'inquiétude ! On vous fera visiter les salles d'accouchement et on vous expliquera les techniques utilisées si l'enfant peine à sortir : épisiotomie, ventouses, césarienne. Renseignez-vous aussi sur le traitement de la douleur et les techniques de relaxation (voir p. 226).

Le terme approche...

Au début de ce 3ᵉ trimestre, votre bébé grandit et prend du poids, mais il a encore suffisamment de place pour se retourner dans l'utérus.

✳ Un nid étroit

À l'issue de ce mois, vous sentirez plus fortement les mouvements du fœtus : c'est à 31 semaines qu'il est le plus actif. Ensuite, il aura moins de place pour gigoter. Il donne maintenant des coups de pied dans la vessie ou des coups de tête dans les côtes. Auparavant, on encourageait les futures mamans à surveiller les mouvements du bébé et à compter le nombre de coups par période de 12 heures. Cela n'est plus nécessaire, mais restez attentive et contactez votre médecin si vous perceviez un ralentissement important.

✳ Des mouvements visibles

Voir son ventre soumis à des secousses est un spectacle troublant. Votre bébé a grandi et ses os ont durci : son squelette est développé depuis la 29ᵉ semaine. La production de liquide amniotique a presque cessé de sorte que ses mouvements sont moins amortis.

CROISSANCE DU BÉBÉ : 75 %

10%	20%	30%	40%

À LA 30ᵉ SEMAINE, Bébé pèse environ 1,5 kg. Il va encore grandir de 5 cm au cours du 7ᵉ mois.

QUELLE TAILLE ?
Votre bébé a désormais la taille d'un ananas.

✳ Un jeu de cache-cache

L'emplacement des coups de pied et la forme du ventre donnent des indications sur la position du bébé. Au début de ce mois, il est peut-être allongé horizontalement. Mais à l'issue de 30 semaines, la plupart des fœtus sont en position verticale, souvent debout, le crâne contre les côtes de la mère. La position assise est également assez fréquente à cette période. À la fin de ce trimestre, l'enfant devra se présenter tête en bas pour qu'un accouchement naturel soit possible. À partir du 7ᵉ mois, n'hésitez pas à donner un coup de pouce à la nature en vous mettant régulièrement à quatre pattes ou en vous penchant en avant sur des coussins afin que les parties les plus lourdes du bébé, c'est-à-dire sa tête et sa colonne vertébrale, puissent se positionner idéalement pour l'accouchement.

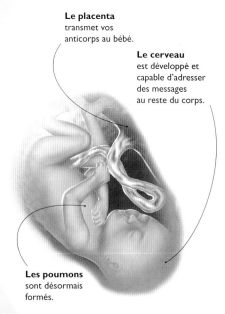

Le placenta transmet vos anticorps au bébé.

Le cerveau est développé et capable d'adresser des messages au reste du corps.

Les poumons sont désormais formés.

60%   70%   80%   90%   100%

Votre bébé doit mainter adopter la position fœta et la garder jusqu'à la fin de la grossesse.

Il se prépare à respirer

La plupart des fonctions physiologiques du bébé sont presque à maturité, seuls ses poumons ont encore un peu de chemin à parcourir afin de pouvoir fonctionner. Chaque jour qui passe marque un progrès !

✳ Des poumons plus efficaces

Au cours du dernier trimestre, les poumons se peaufinent, mais ils ne fonctionneront par eux-mêmes qu'au moment de la naissance. Le mois dernier, ils se sont enrichis de bronchioles et ils produisent désormais de plus en plus d'alvéoles, petites poches qui constituent l'ultime subdivision de leur structure interne. Un réseau de vaisseaux sanguins se tisse autour de chaque poche afin de transporter l'oxygène et le gaz carbonique à expulser. En fait, la plupart des alvéoles se formeront après la naissance, ce qui augmentera substantiellement la surface disponible pour l'échange d'oxygène et de gaz carbonique. Cette étape finale se prolongera jusqu'à l'âge de deux ans et demi environ.

✳ Une grande souplesse

Les parois lisses des alvéoles pulmonaires se couvrent d'une enveloppe élastique, le surfactant, qui leur permettra de se dilater quand les poumons se gonfleront d'air à la naissance et de ne pas exploser à l'expiration. Cette couche protectrice est décelable dans

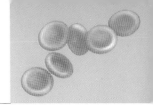

le liquide amniotique et permet aux médecins d'évaluer la maturité des poumons d'un enfant prématuré.

Ne vous inquiétez pas : même si votre bébé naît prématurément, il existe des traitements efficaces pour assouplir ses poumons.

Bébé entraîne déjà ses poumons en inspirant le liquide amniotique !

✳ **La fabrication du liquide sanguin**

Au plus profond des os, la moelle osseuse produit maintenant la majeure partie des globules rouges du bébé. Ces cellules puisent l'oxygène des alvéoles grâce aux minuscules vaisseaux sanguins et le diffusent dans tout le corps pour l'apporter là où il faut et récupérer le gaz carbonique à éliminer. Le processus de fabrication des globules rouges avait démarré dans l'ovule, avant de se faire dans le foie. Il a lieu maintenant à son emplacement définitif. Bébé fabrique des cellules sanguines fœtales contenant de l'hémoglobine F, qui transporte l'oxygène. Celle-ci permet notamment d'extraire l'oxygène du placenta, qui se mélange à celle de votre propre circulation sanguine. Au cours des dernières semaines de grossesse, l'hémoglobine F commencera à être remplacée par sa forme adulte, l'hémoglobine A (HbA). Mais à la naissance, la transformation n'est pas achevée : les globules rouges sont encore constitués à 95 % d'hémoglobine F.

LES PETITS MAUX DE FIN DE GROSSESSE

Le top 10

QUE FAIRE ?

1 **Digestion difficile**
La tête du bébé comprime l'estomac, vous ne mangez pas assez et vous digérez mal.

Mangez peu et plus souvent. Choisissez des mets légers, riches en vitamines et en protéines : évitez les plats gras, en sauce, et les mélanges. Buvez avant le repas et non pendant.

2 **Doigts engourdis**
Vous avez des sensations d'engourdissement, des picotements et mal au poignet.

Vous souffrez peut-être du syndrome du canal carpien (voir p. 228). Voyez un médecin, qui vous orientera vers un kinésithérapeute. Évitez toute activité pouvant aggraver la situation.

3 **Hémorroïdes**
De petites excroissances douloureuses apparaissent dans la région anale.

Les hémorroïdes sont souvent une conséquence de la constipation. Adoptez un régime riche en fibres et buvez de l'eau en abondance. N'oubliez pas de faire de l'exercice !

4 **Mal de dos**
Vous avez si mal dans le bas du dos que votre démarche vous fait ressembler à un cow-boy…

Bougez ! La natation, la marche et le yoga font le plus grand bien. Évitez de rester assise ou debout trop longtemps. Si les douleurs sont intenses, contactez votre médecin.

5 **Varices**
Vous avez des veines bleutées et enflées dans le bas des jambes.

Évitez de rester debout longtemps et de croiser les jambes. Reposez-vous les pieds surélevés. Portez des chaussettes ou des bas de contention.

LA DERNIÈRE LIGNE DROITE PARAÎT ÉPROUVANTE ?
Mais chaque jour vous rapproche de la rencontre avec votre bébé !

90 % ENVIRON
des femmes enceintes ont des vergetures.

QUE FAIRE ?

6 Vergetures
De petits traits rouges se forment sur la peau de votre ventre ou de vos seins.

La grande question est la suivante : vont-elles disparaître ? Elles vont s'atténuer et prendre une couleur blanche. Passez de la crème ou une huile sur la peau pour les amoindrir.

7 Gonflements
Vous avez les chevilles et les pieds enflés, les doigts boudinés, surtout en fin de journée.

La rétention d'eau liée à la grossesse provoque ces désagréments. Surélevez vos pieds, portez des chaussures confortables et évitez de rester debout longtemps. Au besoin, ôtez vos bagues.

8 Incontinence
Quand vous riez, toussez ou quand vous vous mouchez, vous avez des fuites urinaires.

Le bébé qui grandit exerce une pression sur la vessie. Faites des exercices pour renforcer votre périnée trois fois par jour, vous verrez la différence (voir p. 215).

9 Essoufflement
Au beau milieu d'une phrase, vous sentez le besoin de reprendre votre souffle.

Tenez-vous bien droite et redressez les épaules pour permettre à vos poumons de se gonfler. Évitez les efforts violents. Ne vous inquiétez pas, tout cela est normal !

10 Épuisement
Vous vous sentez de nouveau totalement épuisée.

Fractionnez vos activités, faites de courtes relaxations en fermant les yeux quelques minutes. Évitez les longues marches, mais l'exercice léger donne de l'énergie.

Le top 10

Les indispensables
LA VALISE
POUR LA MATERNITÉ

7e MOIS

UN T-SHIRT
ample et confortable,
en coton.

UNE CHEMISE DE NUIT
ouverte sur le devant
si vous allaitez.

UN PEIGNOIR
pour vos déplacements
dans les couloirs.

DES JOURNAUX
pour vous occuper
pendant le travail et après.

DE LA LAYETTE :
bodies, grenouillères,
bonnet, etc.

DE LA MUSIQUE
pour vous distraire.

DES COUSSINETS
pour l'allaitement si vous avez
décidé d'allaiter.

VOS AFFAIRES DE TOILETTE
gel douche, shampoing,
peigne, brosse à dents, etc

À LA MATERNITÉ, vous aurez besoin de quelques articles. La sage-femme a dû vous donner une liste, mais voici quelques conseils, auxquels vous ajouterez votre dossier médical et votre carte Vitale. Et pas de stress, le papa pourra combler les oublis !

DES SOUS-VÊTEMENTS
confortables
et des culottes jetables.

UNE COLLATION :
des fruits, frais et secs,
et de l'eau.

DU PRODUIT À LENTILLES
si vous portez des lentilles.

DES VÊTEMENTS,
dont une tenue pour le jour
de votre sortie.

DES BOUCHONS
d'oreilles pour la nuit
si le service est bruyant.

VOTRE PORTABLE
pour appeler vos proches
et annoncer la nouvelle.

UNE HUILE DE MASSAGE
pour que votre homme
puisse vous masser.

Bébé est en avance

Une naissance prématurée, c'est-à-dire avant la 37ᵉ semaine, est toujours un choc. Mais s'ils semblent plus fragiles, la plupart de ces enfants ne nécessitent pas de soins particuliers.

✳ Le travail commence déjà ?

Ne cédez pas à la panique jusqu'à ce qu'un médecin vous ait examiné. Souvent, ce que l'on prend pour les premiers signes du travail a une autre origine. S'il s'agit bien d'un accouchement prématuré, l'équipe médicale s'efforcera de ralentir le processus et d'accélérer la maturation des poumons du bébé. La médecine a fait d'énormes progrès et sauve même des bébés nés à 26 semaines.

✳ La prise de décision

Si le bébé doit être extrait rapidement, le médecin décidera peut-être de provoquer les contractions ou de recourir à une césarienne. Vous serez surveillée de près et l'accouchement ne se passera sans doute pas comme vous l'aviez prévu.

✳ Un contact aimant

Normalement, vous pourrez prendre votre enfant dans les bras. Dans certains cas, le médecin devra intervenir rapidement, notamment en

LE SAVIEZ-VOUS ?

Parmi toutes les grossesses pour lesquelles on craint une prématurité, moins de 20 % donnent lieu à une naissance prématurée. Le plus souvent, la grossesse va jusqu'au terme.

20 %

cas de détresse respiratoire ou si l'enfant pèse moins de 2 kg. Il se retrouvera alors en couveuse ou en néonatologie. Le contact physique prend alors une grande importance (voir encadré ci-contre) et vous aurez la possibilité de rester auprès du bébé. Dans le cas contraire, demandez à une infirmière de le prendre en photo.

✳ En sécurité

Si votre bébé est né avant 34 semaines ou s'il a des problèmes de santé, il devra rester en néonatologie. Ce service impressionne les parents, mais votre enfant y recevra les meilleurs soins grâce à un personnel médical spécialement formé. Armez-vous de patience !

✳ Impliquez-vous !

Si vous n'êtes pas en mesure de répondre aux besoins médicaux de votre enfant, vous pouvez jouer un rôle essentiel dès les premiers jours. Voici des conseils pour optimiser son séjour en néonatologie.

1. Parlez-lui. Il connaît déjà votre voix depuis plusieurs mois. Vous entendre parler ou chantonner le rassurera.

2. Regardez-le dans les yeux, il dirigera son regard vers vous : c'est l'un des premiers moyens pour tisser un lien.

3. Touchez-le. Même s'il semble très délicat, une caresse légère est apaisante et le familiarisera avec l'odeur de votre peau.

4. Si possible, prenez-le dans vos bras. Le contact sera bénéfique et susceptible de raccourcir son séjour à l'hôpital.

5. Tirez votre lait pour le nourrir : il recevra ainsi vos anticorps et vos nutriments.

7ᵉ MOIS

Semaines 27 à 31
LE GUIDE
DU FUTUR PAPA

LE SAVIEZ-
VOUS ?

La dernière ligne droite

Vous êtes près du but ! Votre femme est parfois lasse de cette grossesse et fatiguée, mais il y a encore beaucoup de choses à organiser.

✳ Aidez-la !

Votre bébé grandit, comme en atteste le ventre rond de la future maman. Celle-ci est vite fatiguée, rentrez plus tôt du travail et préparez les repas avec elle. Cuisinez sain et prévoyez des plats faciles à digérer. Si elle a du mal à dormir, si elle souffre de brûlures d'estomac et de crampes nocturnes, procurez-lui des oreillers supplémentaires et laissez-lui plus de place dans le lit. Vous pouvez aussi lui offrir un coussin de maternité, en forme de U et rempli de petites billes, qui s'adapte à toutes les positions.

✳ Les angoisses d'un père

Appréhendez-vous l'accouchement ? Redoutez-vous de voir souffrir votre femme ? Sachez que les douleurs du travail ne signifient pas qu'il y a un problème. Elles sont la preuve que les muscles de l'utérus fonctionnent

SI VOTRE FEMME a de fréquentes douleurs, proposez de lui faire des massages du cou, des épaules, des mains et des pieds.

DE NOMBREUX PAPAS voient leur rythme de sommeil changer à ce stade.

SI VOTRE FEMME SOUFFRE DE CRAMPES, ACHETEZ-LUI DES BANANES : ELLES SONT RICHES EN MAGNÉSIUM ET EN POTASSIUM.

Les testicules d'un garçon amorcent la descente vers le scrotum au 7e mois.

bien. Si vos craintes sont normales à ce stade de la grossesse, les risques sont minimes. Aujourd'hui, les accidents sont rares en France.

✳ Les démarches administratives et les achats

C'est souvent au cours du 7e mois que les crèches donnent leur accord aux dossiers d'inscription. Si vous y comptiez, mais n'obtenez pas de place, il est encore temps de réfléchir à une autre solution : demandez la liste des assistantes maternelles agréées à la mairie de votre ville. Si ce n'est pas encore fait, le moment est aussi venu d'effectuer les derniers achats : berceau, poussette, nacelle... Allez sur Internet pour comparer les prix des grandes enseignes. Mais pour choisir la poussette, rendez-vous dans un magasin avec votre conjointe afin de l'essayer : elle doit être robuste, facile à plier et maniable.

 # Oui

Proposez-lui des produits laitiers, ou d'autres sources de calcium, utiles à la formation du squelette du bébé.

———————

Donnez-lui des aliments riches en fer pour stimuler la production de globules rouges. La vitamine C favorise sa fixation.

———————

Donnez-lui de l'eau pour qu'elle s'hydrate.

 # Non

Ne cédez pas à la panique en cas de fausses contractions (voir p. 129) : elles préparent celles de l'accouchement.

———————

N'angoissez pas pour l'accouchement, mais informez-vous sur son déroulement.

———————

N'oubliez plus votre portable pour que votre femme puisse vous joindre à tout moment.

Vous êtes sous pression

Votre organisme est en ébullition avec une circulation sanguine plus intense et vous êtes parfois surprise de voir votre ventre durcir, une sensation qui vous semble étrange : ce sont des contractions.

❋ Un afflux de sang

Au cours de ce 3e trimestre, votre volume sanguin continue d'augmenter. Il est maximal à 35 semaines où il atteint environ 5 litres. Vous avez 25 % de sang de plus qu'avant votre grossesse. Il contient à présent jusqu'à 50 % de plasma supplémentaire. Pour gérer cet afflux, le cœur pompe davantage de sang à chaque battement. Vos vaisseaux sanguins sont totalement dilatés pour résister, ce qui fait monter légèrement la tension artérielle.

❋ Des coups de chaleur

Avec l'accélération du métabolisme, votre température corporelle a augmenté de presque 1 °C et vous transpirez plus que d'habitude. Cependant, les vaisseaux sanguins veillent à rafraîchir l'organisme et à maintenir une température idéale pour le bébé.

❋ Des risques d'œdème

Tout ce liquide sanguin qui circule dans votre corps provoque parfois l'apparition

VOCABULAIRE

- Œdème
- Braxton Hicks
- Ocytocine (p. 130)

VOS HORMONES fonctionnent à plein régime, vous êtes sujette à des sautes d'humeur : votre corps se prépare à l'accouchement.

BON POUR LA SANTÉ !
Du bœuf, riche en fer, en protéines, en vitamines B et en chrome, utile pour les tissus du bébé.

d'un œdème dû à l'infiltration de fluide dans les tissus. Le phénomène est alors visible, car vous avez les doigts gonflés et les jambes enflées, tout comme les chevilles et les pieds. De même, les vaisseaux sont dilatés, notamment au niveau de l'anus et de la vulve, d'autant plus que l'utérus appuie sur les veines de la région pelvienne. On compte environ 40% de femmes enceintes qui souffrent de varices, un problème souvent héréditaire. Faites des exercices légers pour activer la circulation et surélevez vos pieds dès que vous en avez la possibilité.

✳ Une répétition avant le grand jour

Avez-vous remarqué que votre ventre se resserre et se durcit parfois de haut en bas ? Cette sensation, qui peut vous couper le souffle, dure environ 30 secondes. Il s'agit d'une contraction dite de Braxton Hicks, qui présage des véritables contractions de l'accouchement. Les spasmes dirigent le sang vers le placenta et préparent le col de l'utérus. Ces contractions vous surprennent, mais ne sont pas douloureuses. Elles peuvent être assez intenses au cours des dernières semaines. Le repos, un bain chaud ou un massage du dos peuvent vous soulager lorsqu'elles se répètent trop fréquemment. Sachez que toutes les femmes enceintes ne ressentent pas ces contractions et si vous n'en avez pas, cela ne nuit en rien à l'accouchement.

LA TEMPÉRATURE MONTE

Le cocon familial

À mesure qu'approche le grand jour, les hormones, toujours à l'œuvre, vous préparent psychologiquement à devenir mère et développent un instinct maternel. Vous n'êtes pas au bout de vos surprises !

✳ L'heure approche

Vous produisez de l'ocytocine et de la prolactine, des hormones qui seraient à l'origine du besoin de protéger son enfant. Vous allez sentir une envie soudaine d'améliorer votre intérieur, de le nettoyer, de le décorer et de le rendre plus sécurisant. Si vous vous lancez dans un rangement frénétique, il est toutefois préférable de confier les tâches les plus physiques à quelqu'un d'autre. Évitez d'entamer un grand ménage de printemps ou des travaux de décoration avec des produits contenant de l'ammoniaque, du chlore ou des diluants susceptibles d'être toxiques pour l'enfant. L'ocytocine a un autre rôle : elle incite l'utérus à se contracter au début du travail.

✳ Un nid douillet

Le besoin de « faire son nid » nous rappelle ce que nous sommes : des mammifères. Se mettre à l'abri est un instinct commun à de nombreuses espèces animales qui mettent au monde des petits incapables de survivre seuls. Pour les êtres humains, il s'agit de créer un foyer rassurant

LE SAVIEZ-VOUS ?

L'OCYTOCINE ET LA PROLACTINE sont les hormones responsables de l'instinct de nidification et de maternage.

200

200 CALORIES supplémentaires par jour sont nécessaires au 3e trimestre.

pour répondre aux besoins du nourrisson et de trouver une certaine sérénité en cette période de grands changements. Inutile de lutter contre la nature !

✱ Ralentissez !

Réfléchissez aux aspects de votre vie qui vont changer. Si vous travaillez, vos dates de congé de maternité sont déjà établies. Commencez à déléguer des tâches à vos collègues. Sur le plan personnel, mieux vaut éviter certains projets comme l'achat d'une maison ou de gros travaux de rénovation afin de ne pas créer de stress supplémentaire. En revanche, prenez le temps de renouer des liens avec votre entourage. Amis et parents seront d'un grand soutien dans les mois à venir.

DE LA THAÏLANDE À L'OUEST AFRICAIN, on a coutume de décorer la salle de naissance avec des objets – chapelets, miroirs, toiles peintes – censés plaire au nouveau-né et destinés à chasser les mauvais esprits.

✱ Remettez à plus tard !

La préparation de la chambre d'enfant est un dilemme et vous vous demandez si vous allez pouvoir terminer à temps ? Quelles couleurs et quel sol choisir ? Devra-t-il y dormir dès les premiers jours ou partager votre chambre ? Restez zen ! Cette dernière décision sera plus facile à prendre quand il sera là, vous aurez les idées plus claires. Si vous l'allaitez, le faire dormir à proximité sera plus pratique, dans le cas contraire, vos nuits seront plus sereines s'il est installé dans son propre espace. Vous ne serez pas tentée d'écouter sa respiration à chacun de vos réveils.

8 MOIS

Semaines 32 à 36
LA CROISSANCE DU BÉBÉ

Votre bébé n'a plus besoin de la protection du *vernix caseosa* ni de son duvet.

La touche finale

Au début du 8ᵉ mois, Bébé a toujours la peau fripée et du duvet sur tout le corps. Vers la fin de ce mois, il aura davantage l'apparence d'un nouveau-né.

✳ Un bébé dodu

À partir de la 30ᵉ semaine, le poids du bébé double ou triple, notamment grâce à sa graisse. Les enfants prématurés naissent fripés, car ils n'ont pas bénéficié des dernières semaines de développement pour s'étoffer. Jusqu'à ce stade, le fœtus prenait principalement de la graisse blanche, la même que celle des adultes, qui sert de source d'énergie et d'isolation. Sa température était parfaitement régulée grâce à votre métabolisme. Après la naissance, il devra s'assumer seul, il lui faut donc un autre moyen de générer de la chaleur. Il produit maintenant de la graisse brune, source active de chaleur diffusée dans les différentes parties de son corps. Il s'agit du même type de graisse sécrétée par les animaux qui hibernent, pour se réchauffer lorsqu'ils se réveillent au printemps.

GROS   *TRÈS GROS*   *ENCORE PLUS GROS*

CROISSANCE DU BÉBÉ : 85 %

| 10% | 20% | 30% | 40% |

VOTRE BÉBÉ va prendre 225 g par semaine au cours de ce mois, c'est-à-dire presque 1 kg.

QUELLE TAILLE ?
Il a désormais la taille d'une belle courge butternut.

✳ Les petits replis

La graisse brune se dépose en différentes couches, des épaules vers le cou, puis le long du sternum. Elle descend ensuite le long des bras, vers les mains, et se plisse à la hauteur des poignets et des coudes pour favoriser les articulations. La graisse implantée dans le cou est efficace pour réchauffer le sang en agissant sur la carotide dont elle est proche.

✳ Le duvet tombe

Le fin duvet couvrant le corps du bébé commence à tomber dans le liquide amniotique. À la naissance, il aura pratiquement disparu, à l'exception de quelques traces qui restent une semaine ou deux.

✳ Une peau de bébé

Grâce à ses nouvelles couches de graisse, Bébé aura la peau moins fripée et moins diaphane. Son véritable teint apparaîtra au cours des six mois suivant la naissance.

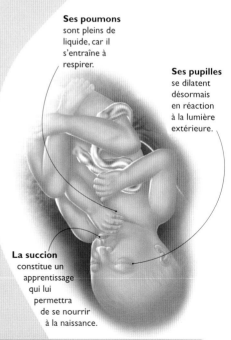

Ses poumons sont pleins de liquide, car il s'entraîne à respirer.

Ses pupilles se dilatent désormais en réaction à la lumière extérieure.

La succion constitue un apprentissage qui lui permettra de se nourrir à la naissance.

60%   70%   80%   90%   100%

Un futur adolescent

Les glandes surrénales du bébé sont de plus en plus actives et les hormones sexuelles déclenchent une phase qui ne se reproduira qu'à la puberté.

❋ Une fabrique à hormones

Depuis le 5e mois, les glandes surrénales, situées au-dessus des reins, ont doublé de volume et sont sur le point de doubler encore. Les hormones qu'elles produisent sont essentielles à la maturation des poumons. Elles s'affairent actuellement à sécréter une hormone appelée cortisol. Le bébé en a besoin pour fabriquer le surfactant, la couche protectrice indispensable à ses poumons (voir p. 118-119).

❋ À plein régime

Qu'il s'agisse d'une fille ou d'un garçon, les glandes surrénales sécrètent également en grande quantité une hormone mâle appelée déhydroépiandrostérone. Celle-ci transite par le foie avant de se transformer en œstrogènes dans le placenta. En outre, les testicules du petit garçon produisent les hormones mâles, dont la testostérone, qui permettront le développement de l'appareil génital. Cette sécrétion diminue après la naissance et ne sera réactivée qu'à la puberté.

❋ Fille ou garçon ?

À ce stade, les testicules du garçon descendent de l'abdomen vers le scrotum. Les ovaires de la fille restent en place jusqu'à la naissance.

✳ Un bébé dormeur

Comme un adolescent, votre bébé dort plus longtemps, plus de la moitié de la journée, au cours du 8ᵉ mois. Le sommeil indéterminé diminue au profit d'un sommeil plus calme, avec une meilleure harmonisation de son rythme circadien (heures de veille et de sommeil) par rapport à vos propres périodes de repos et d'activité. Son rythme de vie va continuer à évoluer au cours des trois à six mois suivant sa naissance.

✳ Ses défenses naturelles

Pour préparer l'enfant à sa vie extra-utérine, votre système immunitaire fournit désormais au bébé des anticorps IgG, qui le protègent contre les microbes capables de traverser le placenta. Vous lui transmettez ainsi une protection contre tous les microbes auxquels vous avez été exposée au cours de votre vie. Bien à l'abri dans l'utérus, il est protégé, de sorte que son système immunitaire ne commencera à produire des anticorps IgG qu'après sa naissance. Sa rate et sa moelle osseuse, toutefois, sécrètent de plus en plus d'anticorps IgM depuis la fin du premier trimestre de grossesse.

Économisez !
AVOIR UN BÉBÉ SANS SE RUINER

Renseignez-vous !
Avant de vous lancer dans des dépenses inconsidérées, déterminez ce dont vous avez vraiment besoin. Sur Internet, consultez les commentaires des autres consommateurs !

Ne craquez pas pour les marques !
Résistez à la tentation d'acheter des vêtements de grandes marques. Un bébé grandit à un rythme incroyable, sans parler des régurgitations… Contentez-vous des indispensables, sans vous priver d'une ou deux fantaisies. N'oubliez pas que vous recevrez certainement des vêtements en cadeau.

Traquez les bonnes affaires !
Grâce à la vente en ligne, vous pourrez acheter d'occasion les articles les plus coûteux (poussette…). Gardez votre argent pour ce qui doit être neuf et sûr : nacelle et matelas du lit.

Faites des économies !
Renseignez-vous pour savoir à quelles allocations et quelles aides vous avez droit. Ouvrez éventuellement un compte épargne sur lequel vous verserez de l'argent chaque mois.

Faites-vous aider !
Vos parents ou amis ayant déjà des enfants peuvent vous prêter quelques articles : chaise haute, porte-bébé… Si on vous demande quel cadeau vous aimeriez, optez pour des vêtements de grande taille ou un objet tel que l'écoute-bébé.

EN ÉTUDIANT VOTRE BUDGET
avec soin et un peu d'astuce, vous parviendrez
à maîtriser vos dépenses, surtout au cours
de la première année.

6

Si vous allaitez...

C'est une excellente façon de faire des économies.
Et quand votre enfant commencera à consommer
des aliments, sachez aussi que la cuisine maison coûte
beaucoup moins cher que les petits pots.

7

Choisissez bien les couches

Elles coûtent une fortune. Essayez de les acheter par lots
en grande surface, et sans marque, ou optez pour les couches
en tissu. Ces dernières donnent plus de lessive, mais vous
serez gagnante et vous aurez une démarche écologique.

8

Lingettes ou coton ?

Le coton est beaucoup plus économique et plus doux
pour la peau du bébé.

9

Revendez !

Sauf si vous envisagez d'avoir un autre enfant rapidement, vous
revendrez le matériel qui ne vous sert plus, conservez donc
les emballages et les modes d'emploi. Vous pourrez très vite
revendre les vêtements trop petits dans les dépôts vente.

10

Créez vos faire-part !

Pensez-y dès maintenant pour trouver les solutions les moins
onéreuses. Vous pouvez acheter des faire-part préimprimés
à remplir à la main, ou créez vos propres cartons, il existe des
sites d'impression en ligne qui pratiquent des prix doux.

Le top 10

Les femmes qui gardent un bon souvenir de leur accouchement sont susceptibles d'avoir un autre enfant plus rapidement.

Le projet de naissance

Il est impossible de prévoir exactement le déroulement de l'accouchement, mais il est utile de réfléchir aux options qui s'offrent à vous et de formuler par écrit vos préférences.

❋ Le rêve et la réalité

Vous avez peut-être imaginé un accouchement idéal : naturel, dans une baignoire, avec des massages ou, à l'inverse, sous péridurale et très médicalisé. La réalité est souvent bien différente. Sachez que l'accouchement aquatique, répandu en Europe du Nord, est rarement possible en France, car il est pratiqué dans moins d'une dizaine de maternités. Mais beaucoup d'autres souhaits peuvent être exprimés, qui seront, ou non, possibles selon les aléas de la naissance, mais aussi en fonction du lieu où vous allez accoucher, car chaque service de maternité a son mode de fonctionnement.

❋ À quoi sert le projet de naissance ?

Il permet d'abord d'engager avec son conjoint une discussion sur les attentes et les inquiétudes liées à la phase de travail et à l'accouchement, qui doit aboutir à la rédaction d'un document que vous communiquerez à l'équipe médicale. Réfléchir aux différentes options incite à s'informer sur le processus de l'accouchement et à faire des choix. Mieux préparée, vous serez aussi plus à même de vous adapter aux imprévus si tout ne se passe pas comme vous l'avez rêvé.

✳ Que comprend-il ?

Le projet de naissance évoque les étapes importantes du travail, de l'accouchement lui-même et des premiers instants avec Bébé. Vous pouvez émettre des souhaits sur l'ambiance de la salle de travail (lumière tamisée, musique), sur la position pour accoucher (allongée, accroupie), sur la présence d'un intervenant extérieur (acupuncteur), le choix d'un accouchement naturel ou sous péridurale, le refus de l'épisiotomie, la possibilité pour le père de couper le cordon, le contact peau contre peau immédiat avec le nouveau-né, les soins du bébé en présence des parents, etc. Certaines maternités proposent des formulaires à compléter, mais si la vôtre ne le fait pas, vous pouvez trouver un modèle sur Internet et voir avec votre médecin ce qu'il est possible d'envisager.

EN TANZANIE, dans les zones rurales, les femmes sont encouragées à établir un projet de naissance. Celles qui acceptent bénéficient d'un accès plus facile aux soins durant leur grossesse et après l'accouchement, ce qui offre aux enfants un meilleur départ dans la vie.

Préparez-vous !

Il est temps de relever vos manches et de vous préparer sérieusement à la naissance de votre enfant, qui approche à grands pas.

❋ Mettez la main à la pâte !

Au cours du 8e mois, votre femme va avoir besoin d'aide. Elle sera sûrement fatiguée et embarrassée par ses formes. Prenez en charge les tâches ménagères et le ravitaillement au supermarché ! Vous devrez peut-être aussi vous improviser pédicure si elle a du mal à se couper les ongles d'orteils.

❋ Anticipez !

Il est prudent de calculer le temps nécessaire pour vous rendre à la maternité, en tenant compte du risque potentiel d'embouteillage. Étudiez plusieurs itinéraires et vérifiez la jauge d'essence de votre voiture, le moment serait mal choisi pour aller faire le plein.

❋ Impliquez-vous !

Vous avez sans doute commencé les cours de préparation à l'accouchement avec votre femme. Sachez écouter, prendre des notes, poser des questions. D'autres futurs papas sont présents. Si vous envisagez d'assister à l'accouchement, entraînez-vous

PLUS DE 50% DES PÈRES sentent le besoin de préparer un nid accueillant pour l'enfant.

SI VOTRE FEMME MONTE SUR UN ESCABEAU POUR NETTOYER LE HAUT DE L'ARMOIRE, ACCOUREZ ET FAITES-LE À SA PLACE !

PROPOSEZ-LUI SOUVENT DE L'EAU pour limiter les effets de la rétention d'eau.

aux exercices de respiration.
Ne soyez pas gêné, les autres pères présents sont dans la même situation !
Plus vous serez informé, mieux vous pourrez soutenir la maman. Il est important que vous sachiez tout ce qui va se passer, notamment les diverses solutions de gestion de la douleur et les aléas possibles, et que vous en connaissiez le vocabulaire : dilatation, bouchon muqueux, perte des eaux, expulsion, délivrance…

IL EST UTILE que vous participiez aux séances de préparation à l'accouchement, que vous assistiez ou non à la naissance.

Oui

Pendant les séances, faites connaissance avec les autres parents.

———————————

Soyez attentif ! Si vous savez tout sur l'accouchement, vous serez moins surpris le jour J : le spectacle est souvent un choc !

———————————

Ayez les numéros de téléphone utiles sous la main : hôpital, grands-parents.

Non

Ne chahutez pas pendant les séances ! Ce sont des exercices utiles.

Ne refoulez pas vos émotions. Vous n'êtes pas le seul à être ému.

Ne troublez pas votre femme avec tous les scénarios catastrophe de l'accouchement. Soyez rassurant !

Les derniers maux

À partir de 37 semaines, votre bébé est prêt à venir au monde. Quelques désagréments peuvent encore survenir. Courage, vous y êtes presque !

✳ Des douleurs et des solutions

On dit que l'enfant est engagé quand il s'est mis en place dans la cavité pelvienne et que 2/5 de sa tête se trouvent au-dessous de l'os pubien. Il vous est sans doute plus facile de respirer, car vos côtes et votre diaphragme sont moins compressés. Vous remarquez également que votre ventre change de forme et semble plus bas. Ne vous inquiétez par si la tête n'est pas engagée : cela ne se produit parfois qu'après le début du travail. Vous avez peut-être plus de difficultés à vous mouvoir et votre posture, votre démarche et votre position pour dormir sont affectées, car les ligaments de la zone pelvienne se dilatent et jouent sur les articulations. Si ces symptômes sont très handicapants, voyez avec votre médecin s'il peut vous prescrire une ceinture de grossesse (remboursée à 40 % par la Sécurité sociale). Essayez également ces exercices pour soulager vos douleurs : mettez-vous à quatre pattes pour atténuer le mal de dos ; en appui

BON POUR LA SANTÉ !
Des épinards, riches en vitamines C et K : celle-ci favorise la coagulation sanguine.

---

sur un coussin, cambrez-vous comme un chat, puis bougez d'avant en arrière en ondulant les hanches dans les deux sens.

✳ Une poitrine généreuse

Vos seins ont encore pris de l'ampleur. Ils se préparent à sécréter le colostrum, un liquide épais précurseur du lait maternel, qui procure à l'enfant des glucides, des protéines et des anticorps au cours des quelques jours qui précèdent les montées de lait. Il est possible qu'un peu de colostrum suinte déjà de vos mamelons.

✳ Des contractions utérines

Comme ces dernières semaines, vous ressentez peut-être des contractions utérines (voir p. 129), qui vous donnent l'impression que l'accouchement est imminent. À ce stade, elles sont en général peu douloureuses et peu fréquentes (moins de 10 par jour). Dans le cas contraire, consultez votre médecin, il vérifiera si le col s'est modifié.

✳ Un afflux de sang

Si vous avez des pertes vaginales plus ou moins teintées de rose ou de brun, c'est le signe que votre col s'assouplit, car il reçoit un afflux de sang supplémentaire. Toutefois, signalez immédiatement à votre médecin toute perte douloureuse ou d'un rouge vif.

Respirez !

Au cours de ce dernier mois, vous avez beaucoup à faire, mais il est nécessaire de vous ménager des moments de repos. Heureusement, votre congé de maternité va vous aider à changer de rythme.

✳ Détendez-vous !

Vos derniers achats et la préparation de la maison sont source de joie. Mais si votre instinct vous pousse à préparer un nid douillet, votre état peut vous obliger à lever le pied, car vous êtes vite essoufflée : le rythme cardiaque, la pression artérielle et la glycémie augmentent. De même, le cortisol, sécrété en quantité en cette fin de 3ᵉ trimestre, vous stimule alors qu'il est indispensable de vous ménager. Vous souffrez peut-être de sautes d'humeur, d'insomnie et d'un manque d'appétit : des exercices de relaxation et de yoga vous seraient utiles pour contrôler votre souffle et détendre vos muscles.

✳ La relaxation musculaire progressive

C'est une technique simple qui vise à se concentrer sur les différences de sensation entre tension et détente. Le jour J, elle vous permettra aussi de gérer les réactions naturelles de votre corps pendant le travail et vous vous sentirez plus disponible.

• Allongée sur le côté gauche, posez la jambe droite sur des coussins. Inspirez et tendez le pied droit en levant la jambe. Maintenez la tension, puis relâchez en soufflant.

SOYEZ PRUDENTE DANS LES ESCALIERS,
si votre ventre proéminent masque vos pieds,
tenez-vous à la rampe !

LE TRAVAIL
commence vraiment
quand le col est
dilaté de 3 à 4 cm.

Laissez votre pied retomber et prenez conscience de la détente.
- Répétez le même exercice avec le mollet, les cuisses et les fesses : tendez-les, puis relâchez-les et prenez à chaque fois conscience des différences de sensation entre tension et détente.
- Répétez les exercices avec l'autre jambe, puis avec les bras et le haut du corps.
- Terminez en contractant le visage, puis soufflez en relâchant la mâchoire, le front et la langue.

Avec de l'entraînement, vous parviendrez à vous imaginer la tension et la détente de tout le corps au cours d'une seule expiration. Passez en revue les différentes parties en partant des pieds. Là où vous ressentez une tension, faites l'exercice et imaginez qu'elle s'atténue.

❋ Cultiver la paix intérieure

Pour que le travail commence, la glande pituitaire doit sécréter de l'ocytocine, qui stimule les contractions de l'accouchement. Ce processus est plus efficace si vous êtes détendue, en sécurité, à l'aise. Au contraire, quand vous êtes tendue, vous produisez de l'adrénaline, l'hormone du stress, qui entrave le travail. Sous l'effet de cette hormone, il arrive que les contractions s'arrêtent momentanément à l'arrivée à la maternité. Savoir se relaxer est plus que nécessaire !

Êtes-vous prête ?

Un ventre rond peut être source d'émerveillement pour l'entourage, mais vous, vous avez hâte, le plus souvent, de passer à l'étape suivante.

✳ La fin d'une époque

L'accouchement apparaît comme un défi physique et psychologique, surtout la première fois. Au cours des dernières semaines, vous êtes nombreuses à souffrir de cauchemars. Si c'est votre cas, ne vous laissez pas déstabiliser ! Il s'agit là d'une réaction normale face aux bouleversements de votre vie. Vous ne pourrez plus partir en voyage sur un coup de tête, sortir tous les soirs ni faire des heures de travail supplémentaires, au moins les premières années. Votre enfant va également transformer votre relation de couple, car vous constituez désormais une famille. La naissance d'un enfant est toujours un événement bouleversant !

✳ Un entourage bienveillant

À mesure que vous approchez du terme, vous êtes sans doute submergée d'appels et de messages. Naturellement, tout le monde vous veut du bien, mais cela vous agace peut-être de devoir répéter sans cesse que le bébé n'est pas encore né. Pour éviter ces désagréments, rien ne vous empêche de filtrer les appels et d'enregistrer un message téléphonique expliquant que vous contacterez chacun dès qu'il y aura du nouveau.

LE SAVIEZ-VOUS ?

SEULS 5% DES BÉBÉS
naissent exactement
à la date prévue.

DE LA CONCEPTION
à la naissance, votre
utérus augmente de
700 fois sa taille originelle.

✳ Un soutien pour le grand jour

La plupart des femmes souhaitent accoucher en présence du futur
papa afin de partager avec lui ce moment exceptionnel. Elles
attendent aussi de cette présence un soutien psychologique.
D'autres choisissent une tierce personne, une sœur ou une amie
proche, surtout quand le mari est souvent en déplacement ou risque
de ne pouvoir être là à temps. Si c'est votre cas, parlez-en avec lui
et désignez une personne de confiance apte à remplir cette mission.
Il est préférable que ce soit quelqu'un de solide et qu'elle ait
elle-même une expérience positive de l'accouchement. Montrez-lui
votre projet de naissance et demandez-lui de vous accompagner
à une séance de préparation.

✳ De quoi parliez-vous ?

Lors des dernières semaines de grossesse, les trous
de mémoire sont fréquents. Vous vous retrouvez devant
le réfrigérateur en ne sachant plus ce que vous
veniez chercher ? Vous oubliez des rendez-
vous ? Vous ne finissez plus vos phrases ?
Vous êtes distraite et n'entendez plus
ce que vous dit votre interlocuteur ?
Selon certaines études, la réduction
du volume des neurones affecte
la concentration et la mémoire à court
terme. Heureusement, ce phénomène
est provisoire, tout rentrera bientôt
dans l'ordre !

AU BENGALE,
les femmes voient tous
leurs souhaits se réaliser dans
les derniers mois de grossesse :
elles reçoivent des vêtements,
des bijoux et des mets de choix
afin de se préparer à
l'accouchement.

Il est prêt !

Votre bébé est mature sur le plan clinique. Il prend ses derniers grammes, se place dans la bonne position pour venir au monde et développe les réflexes utiles à sa vie à l'air libre.

✴ La tête la première

La plupart des bébés descendent la tête en bas vers la zone pelvienne aux alentours de la 36e semaine. L'espace est confiné et vous sentez ses puissants coups de pied. La tête du bébé s'est agrandie à mesure que le cerveau se plissait. Les trois zones du crâne ne sont pas encore soudées et sont séparées par les fontanelles. Au cours du travail, ces espaces permettent aux os de se chevaucher pour que le crâne franchisse le bassin.

✴ De l'air !

Les poumons atteignent leur maturité et votre bébé est enfin prêt à respirer. Les alvéoles vont continuer à augmenter en nombre et en diamètre au cours des six mois qui suivent la naissance. À ce stade, il s'exerce à respirer en gonflant et en contractant sa poitrine, et son

CROISSANCE DU BÉBÉ : 99 %

| 10% | 20% | 30% | 40% |

LE SAVIEZ-VOUS ?

LA TÊTE DE VOTRE BÉBÉ
grossit maintenant
de 2 à 3 cm par semaine.

QUELLE TAILLE ?
À ce stade, Bébé
a la taille d'une petite
pastèque.

diaphragme se renforce en produisant des séries
de hoquets : vous sentez alors de petites secousses
de l'abdomen.

✳ Le réflexe de succion

Bébé est désormais capable d'ingérer du lait, car
ses capacités de succion sont bien développées.
Il avale au moins 75 cl de liquide
amniotique par jour. Il absorbe
également le duvet qu'il perd dans le
liquide, de même que des cellules
cutanées. Ces déchets
se logent dans son gros intestin
et se compactent pour former
le méconium qu'il rejettera à la
naissance (voir p. 186).

Les os du crâne sont encore
séparés pour lui permettre
de passer plus facilement
dans les voies naturelles.

**Le cordon
ombilical**
a presque la
même longueur
que votre bébé.

✳ Il mange à volonté

Votre placenta a atteint sa pleine
capacité et pèse environ 1/6 du
poids de l'enfant. Il lui fournit
oxygène et nutriments et vous
transmet les déchets à éliminer.

9ᵉ MOIS

Les indispensables
LE TROUSSEAU DE BÉBÉ

6 À 8 BODIES EN COTON
à manches courtes, à porter
sous les vêtements

3 OU 4 BODIES
à manches longues
pour les jours frais

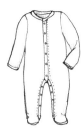

6 À 8 GRENOUILLÈRE
pour qu'il ait les pieds
au chaud la nuit

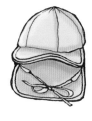

UN CHAPEAU DE SOLEIL
à large rebord ou à rabat
pour couvrir la nuque

UN BONNET
chaud en fibres naturelles
pour l'hiver

2 OU 3 PANTALON:
à élastique,
faciles à enfiler

2 COUVERTURES
pour le réchauffer ou
l'allaiter en toute discrétion

7 BAVOIRS
pour le protéger
pendant la tétée

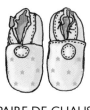

UNE PAIRE DE CHAUSS
en cuir souple
ou en tissu

CONFORTABLE ET FACILE À ENFILER : ce sont les critères pour choisir la layette. Privilégiez les fibres naturelles, ainsi que les vêtements à boutons pression ou à encolure large. Cette liste est indicative, et n'oubliez pas que vous allez recevoir des cadeaux de naissance.

3 OU 4 T-SHIRTS
en coton souple
et doux

2 OU 3 CARDIGANS,
plus faciles à enfiler
qu'un pull

UN BONNET DE COTON
pour l'extérieur,
au printemps

DES SOCQUETTES
ou des chaussettes,
selon la saison

UN MANTEAU
pratique et lavable

UNE COMBINAISON
pour sortir
en hiver

DES MOUFLES
en coton pour protéger
son visage des griffures

DES MOUFLES
avec pouces pour réchauffer
ses petites mains

UNE TENUE CHIC
pour les sorties
habillées

Bébé se fait attendre !

Vous avez atteint la date du terme. Vous êtes prête à accoucher, pourtant vous ne percevez aucun signe de mouvement. Que se passe-t-il ?

✳ Combien de temps l'attente peut-elle durer ?

Si tout va bien pour vous et votre bébé, l'équipe médicale vous permettra de patienter encore plus d'une semaine avant de déclencher le travail.

✳ Que se passe-t-il ensuite ?

Après 41 semaines, le placenta risque de perdre de son efficacité et d'affecter le bébé. Vers la 41ᵉ semaine, on vous proposera peut-être une manipulation destinée à stimuler le col pour déclencher la sécrétion d'hormones et faire démarrer le travail. Vous aurez ainsi 30 % de chances supplémentaires d'entamer un travail naturel dans les 48 heures. Si cela ne

30 35 40

fonctionne pas, on déclenchera le travail à 41 semaines et 5 jours au plus tard en vous injectant des médicaments qui induiront les contractions.

✳ **Une arrivée tardive**

Les bébés retardataires ont une apparence légèrement différente : ils ont les ongles plus longs et beaucoup de cheveux. Ils sont plus alertes et souvent plus gros.

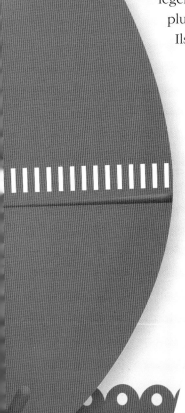

✳ **Vite, essayez !**

Pour éviter un déclenchement, essayez l'une des astuces suivantes.

1. Un rapport sexuel : on pense que les prostaglandines contenues dans les spermatozoïdes dilatent le col de l'utérus. L'ocytocine, hormone qui déclenche le travail, est également sécrétée durant l'orgasme et peut déclencher des contractions. Rien de tout cela n'est prouvé, mais il n'en coûte rien d'essayer…

2. Stimuler les mamelons : si un rapport sexuel ne vous dit rien, pincez vos mamelons afin de sécréter de l'ocytocine nécessaire au déclenchement des contractions.

3. Rester active : vos mouvements et la gravité encouragent Bébé à descendre et à appuyer sur le col.

4. Manger épicé : les épices stimuleraient les muscles intestinaux, qui à leur tour agiraient sur l'utérus.

Il arrive !

Le trousseau de Bébé est prêt et il est temps pour lui de faire son apparition. Quels sont les signes avant-coureurs et quand partir à la maternité ?

❋ Une pression vers le bas

Au fil des heures, la pression augmente dans le pubis et dans le rectum à mesure que le bébé descend. Il se peut que vous ressentiez, ou non, une douleur lancinante et inconfortable dans le dos.

❋ Des pertes de sang

Des pertes sanguinolentes indiquent que le bouchon muqueux, qui a protégé l'utérus des infections pendant toute la grossesse, s'est délogé du col. Le travail ne va pas tarder, l'attente peut être de quelques heures à plusieurs jours. Quoi qu'il en soit, le col se prépare.

❋ Les contractions de travail

Le début du travail se manifeste par la répétition de trois ou quatre fortes contractions à 10 minutes d'intervalle. Puis elles s'intensifient, s'allongent et se rapprochent les unes des autres. Leur action fait dilater le col de l'utérus. Chacune d'entre vous a son niveau de tolérance à la douleur, mais au moment où la contraction monte, vous aurez du mal à soutenir une conversation. Changer de position ne réduit en rien les sensations. Elles sont comme des pics aigus qui retombent ensuite, de sorte qu'il faut s'armer de patience,

LE DÉBUT DU TRAVAIL peut être étonnamment difficile à identifier, car il diffère selon les femmes. Il n'existe en effet pas de signal de départ établi. Plusieurs signes physiologiques s'associent pour déclencher le mouvement.

en respirant calmement et en se disant que chaque instant douloureux est fugace.

✳ **Tout est prêt**

Résistez à l'impulsion de vous précipiter à l'hôpital dès la première contraction. Rester dans un environnement familier et confortable aussi longtemps que possible aide à faire avancer le travail naturellement. Entre chaque contraction, reposez-vous, bougez, chantez si vous le souhaitez.

✳ **La perte des eaux**

Seules, 15 % des femmes perdent les eaux avant le début des contractions. Si cela se produit, le travail est imminent. Partez à la maternité, car le bébé a perdu son enveloppe protectrice.
Le plus souvent, cela survient au cours du travail, parfois même, la poche ne se déchire pas et doit être incisée par une sage-femme : cette incision est indolore.

QUAND PARTIR ?

- Quand vos contractions sont régulières, intenses et surviennent à 5 minutes d'intervalle environ.

- Quand vos contractions durent environ 45 à 60 secondes à chaque fois.

- Si vous perdez les eaux.

- Si vous commencez à saigner.

- Si vous vous inquiétez des mouvements de votre bébé.

- Prévenez la maternité de votre arrivée. N'oubliez pas votre valise !

EN INDE,
on laisse les portes de la maison grandes ouvertes pendant l'accouchement pour symboliser l'ouverture de l'utérus.

AU MEXIQUE, les portes sont closes pour empêcher les mauvais esprits d'entrer.

9e MOIS

Semaines 37 à 41
LE GUIDE
DU FUTUR PAPA

LE SAVIEZ-
VOUS ?

Le grand jour

Votre enfant va bientôt pointer le bout de son nez, êtes-vous prêt ? Dernier point avant l'accouchement !

✳ À vos marques...

Si vous avez décidé d'assister à l'accouchement, veillez à être informé du déroulement et des options qui s'offrent à vous. Réfléchissez à ce que vous pourrez proposer, car dans le vif de l'action, ce sera plus difficile : parler à votre femme, la distraire de ses douleurs avec un peu d'humour, lui tenir la main, la masser, respirer en rythme avec elle, prendre des photos si vous le souhaitez et couper le cordon si le médecin vous le propose.

✳ Prêt...

En attendant, marquez des points en faisant le ménage et en remplissant le frigidaire et le congélateur. Installez la nacelle dans la voiture et vérifiez qu'elle est bien fixée. Vous en aurez besoin pour ramener votre petite famille à la maison. Votre femme a dû préparer sa valise, mais n'oubliez pas de prévoir un sac pour vous avec appareil photo, lainage, collation, boisson, un peu de lecture ou de musique, sans oublier votre téléphone pour annoncer la nouvelle à votre entourage. À mesure que le jour approche, appelez régulièrement la maison, au cours de la journée, afin que votre femme soit assurée de pouvoir vous joindre.

VOTRE BÉBÉ est dit « né à terme » s'il vient au monde au cours du 9ᵉ mois.

DES ÉTUDES montrent que les femmes soutenues par un proche à l'accouchement vivent mieux leur travail et courent moins le risque d'une intervention médicale.

ELLE SOUFFRE ? NE PANIQUEZ PAS, RESTEZ PRÈS D'ELLE !

✳ **Partez !**

Quand elle vous annoncera qu'elle sent les premières contractions, ne cédez pas à la panique et ne vous précipitez pas vers la voiture. S'il s'agit d'une première naissance, le processus est très lent. Si les contractions sont très espacées,

VOULEZ-VOUS COUPER LE CORDON OMBILICAL ou préférez-vous confier cette tâche à un professionnel ? Réfléchissez-y à l'avance !

faites-lui couler un bain ou préparez-lui quelque chose à manger. Aidez-la à rester aussi active que possible. Faites un tour dans le jardin, par exemple. Puis, quand les contractions sont plus fréquentes, ou si vous êtes inquiet, appelez la maternité. Sur le chemin vers l'hôpital ou la clinique, allumez l'auto-radio sur une fréquence qui diffuse une musique calme, écoutez votre femme raconter ce qu'elle ressent et, surtout, roulez prudemment !

 Oui

Passez en revue les positions, techniques de massage et exercices de respiration apprises lors des séances de préparation à l'accouchement.

Notez le numéro d'un taxi au cas où votre voiture refuserait de démarrer.

Préparez de la monnaie pour le parking.

 Non

Ne passez pas un mois dans les starting-blocks. Reposez-vous et partagez des activités avec votre femme.

Ne prévoyez pas une sortie entre amis la veille du terme.

N'appelez pas toute la famille dès le début du travail, votre femme a besoin de calme !

Le grand jour

Un accouchement naturel

LA FUTURE MAMAN

Un moment intense

L'accouchement est un véritable défi, mais aussi une expérience unique. Votre bébé est presque arrivé. Encore quelques efforts !

✳ La dilatation du col

Au début du travail, lors de la phase de latence, les contractions sont espacées et de courte durée : de 30 à 40 secondes toutes les 20 minutes environ. La douleur est encore supportable. Lorsque vous entrez dans la phase active, les contractions se font plus fréquentes (toutes les 10, puis 5, puis 2 minutes) et plus intenses, elles traversent l'utérus de haut en bas. Elles sont de plus en plus rapprochées, mais aussi plus longues et durent de 60 à 90 secondes. Le corps s'accoutume au travail et produit des endorphines, un antalgique naturel. Pour faciliter la descente du bébé, penchez-vous en avant, remuez et ondulez les hanches. Si vous les avez expérimentés avant, chez vous ou pendant les cours de préparation à l'accouchement, vous pouvez faire des exercices avec un ballon de naissance. Utilisez-le pour des mouvements de bercement en vous plaçant à quatre pattes, la poitrine sur le ballon, ou assise pour le faire rouler sous votre bassin. Il contribue à la détente, et donc au soulagement de la douleur, et il accélère l'évolution du travail. À mesure que les contractions font cheminer la tête du bébé dans le bassin, le col remonte, s'ouvrant d'environ 1 cm par heure. Il finira par s'effacer pour permettre à l'enfant de passer.

VOUS NE SOUFFREZ PAS ENTRE LES CONTRACTIONS, À CE MOMENT-LÀ, CONCENTREZ-VOUS SUR LA RESPIRATION.

30 %

LES POSITIONS accroupie, à genoux ou à quatre pattes permettent de gagner 30 % d'espace au niveau des articulations, elles aident ainsi la mécanique du travail.

✳ Bébé est en route

À l'issue de la première phase intervient une période de transition. Les contractions sont au comble de leur intensité, un signe que le travail progresse vers l'expulsion. Cette étape peut durer de quelques secondes à plusieurs heures. N'hésitez pas à vous exprimer, à crier ou à demander le silence, car ce moment vous appartient.

Les hormones agissent sur le col de l'utérus, qui va se dilater de 10 cm.

✳ L'expulsion

Votre bébé a désormais quitté l'utérus et se trouve dans le tunnel du bassin maternel. Vous aurez peut-être un moment de répit, puis les contractions reprendront, accompagnées d'une envie de pousser. Si vous accouchez pour la première fois, cette phase peut durer jusqu'à trois heures. La sage-femme vous indiquera comment respirer pour gérer au mieux les contractions. Enfin, la tête de l'enfant apparaît au niveau de la vulve. La sage-femme vous demandera de ne plus pousser pour éviter le risque de déchirure. Une épaule sort, puis l'autre. Votre bébé vient au monde.

✳ La délivrance

C'est l'ultime étape : l'expulsion du placenta, qui mesure un tiers de la taille du bébé. Le cordon ombilical est coupé, par le père si vous en avez fait la demande. Si on vous permet de prendre Bébé au sein, l'allaitement accélère la délivrance. On injecte parfois du Syntocinon (produit similaire à l'ocytocine) pour éviter l'hémorragie post-partum.

On dit qu'un bébé né avec une partie de la poche des eaux sur la tête est né coiffé.

Le passage

Au début du travail, le bébé est bien enfoui dans l'utérus, la tête engagée au bord du détroit supérieur du bassin. Les contractions légères, qui jusque-là, l'ont gentiment massé, vont à présent le pousser vers l'extérieur.

✳ Un flux continu

Chaque contraction musculaire resserre l'utérus et oblige le bébé à descendre vers le col. Le sommet de sa tête doit ouvrir la voie. Ce mouvement peut rompre la poche des eaux, si ce n'est déjà fait, et provoquer un flux de liquide amniotique. La tête de l'enfant continue à presser sur le col, qui se dilate complètement, jusqu'à permettre le passage dans les voies naturelles.

✳ Un mouvement de rotation

La tête du bébé se présente à l'entrée du bassin obliquement, le menton collé sur la poitrine. Elle s'engage dans ce conduit et passe sous la symphyse pubienne (os du pubis maternel) en suivant la concavité du sacrum qui lui sert de « rampe de lancement ». Lorsqu'elle arrive au niveau du plancher pelvien (groupe de muscles qui soutiennent la vessie, l'intestin et l'utérus), la tête effectue une rotation de 30 degrés. Le visage de l'enfant est alors orienté vers le sol. Enfin, le sommet de la tête apparaît au niveau de la vulve. Elle sort la première, suivie par les épaules.

LA CIRCONFÉRENCE CRÂNIENNE du bébé est supérieure de 1 cm en moyenne à l'ouverture maximale du col de l'utérus. Heureusement, ses os se chevauchent pour permettre le passage.

LA DILATATION DU COL EST MESURÉE DU DÉBUT À LA FIN, ELLE INDIQUE LA PROGRESSION.

✲ En toute sécurité

L'enfant peut ressentir cette pression avec la même intensité que sa mère, au point que certains réagissent aux contractions par des coups de pied. Son crâne est comprimé, mais la mobilité de ses os protège son cerveau. Le placenta et le cordon ombilical sont également compressés à chaque contraction, ce qui réduit la quantité de sang et d'oxygène transmise au bébé. En conséquence, ses hormones du stress sont sans doute plus élevées que les vôtres. Mais, comme c'est le cas pour vous, les hormones ralentissent son rythme cardiaque et dirigent le sang et l'oxygène de ses muscles vers son cerveau. Il s'agit d'une réaction de protection. Les hormones appelées catécholamines incitent également les poumons à produire davantage de surfactant afin de préparer les alvéoles pulmonaires à l'air extérieur. L'équipe médicale a recours à un moniteur pour détecter d'éventuels signes de détresse chez l'enfant, notamment un rythme cardiaque trop rapide ou irrégulier. Elle surveille également la fréquence et l'intensité des contractions et les réactions du bébé.

✲ Un coup de pouce

Si le bébé ne progresse pas comme prévu, la sage-femme perce les membranes afin d'accélérer le processus ou administre une version synthétique de l'ocytocine pour rendre les contractions plus régulières. La dernière étape de l'expulsion est alors médicalement assistée (voir p. 224-225).

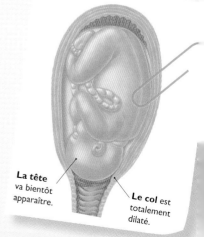

La tête va bientôt apparaître.

Le col est totalement dilaté.

Que peut-il arriver ?
LE TRAVAIL
EST IMPRÉVISIBLE

À QUOI S'ATTENDRE ?

1 **C'est trop tôt !**

À 37 semaines, vos contractions sont déjà espacées de 5 à 10 minutes depuis une heure ? Vous avez des saignements ou des douleurs abdominales ? Faites-vous examiner sans tarder.

2 **Vous perdez les eaux**

Cela signifie que le liquide amniotique s'évacue, il faut donc partir immédiatement à la maternité. On vous mettra sous surveillance ou on déclenchera peut-être l'accouchement pour éviter un risque d'infection.

3 **Le travail ne commence pas**

Si vous avez dépassé le terme, on vous proposera un décollement des membranes (le médecin introduit le doigt dans le col et décolle la poche), une amniotomie (rupture artificielle de la poche des eaux) ou un déclenchement par perfusion.

4 **Il se présente par les pieds ou le siège**

Si les mesures de votre bassin et celles du crâne du bébé, effectuées dans les jours qui précèdent, ont permis d'envisager un accouchement par les voies naturelles, sachez qu'une césarienne peut être décidée dans l'urgence en cas de problème.

5 **Il se présente à l'envers**

Si le dos du bébé se trouve contre la colonne vertébrale de la mère, les contractions peuvent être moins efficaces. Bougez, penchez-vous en avant. Il pourra se retourner une fois engagé, à moins que le médecin n'ait recours aux forceps.

LE TRAVAIL peut commencer de façon prématurée
ou tardive, il peut s'interrompre, puis reprendre…
Soyez prête à vous adapter aux circonstances !

À QUOI S'ATTENDRE ?

6 **Le travail est lent**

Si la dilatation tarde trop, le médecin peut opter pour une rupture des membranes ou l'administration de Syntocinon, une hormone synthétique. À un stade plus avancé, il faudra peut-être recourir à une intervention.

7 **Vous changez d'avis**

Vous aviez prévu un accouchement naturel, mais la réalité est beaucoup plus difficile à supporter que vous ne l'imaginiez ? Votre projet de naissance ne doit pas être facteur de stress ou culpabilisant. Restez ouverte à d'autres options.

8 **Une envie pressante ?**

Il est normal de vouloir satisfaire des besoins naturels à la fin de la deuxième étape du travail. Ne soyez pas gênée : le personnel médical a l'habitude de cette situation.

9 **Envie de pousser ?**

À 1 ou 2 cm de la dilation complète du col, vous êtes prise d'une envie de pousser ? En poussant trop tôt, vous risquez de faire enfler le col. Mieux vaut adopter une respiration haletante, à quatre pattes.

10 **Les soins du bébé**

Il faut parfois frictionner l'enfant pour l'inciter à respirer. Vous serez informée des soins éventuels qui lui seront donnés en néonatologie.

Dompter la douleur
UN ACCOUCHEMENT
SEREIN

Des endorphines sont sécrétées naturellement par le cerveau en réaction à la douleur.

À chacune sa méthode

Comment appréhender la douleur ? Chacune gère la souffrance à sa façon, par une méthode naturelle ou une intervention médicale. À vous de décider !

✻ Quelle est la bonne approche ?

Les douleurs de l'accouchement sont essentiellement dues aux contractions de l'utérus. Comme elles sont intenses, elles peuvent devenir un facteur de stress et, pour cette raison, empêcher l'oxygène de parvenir normalement aux muscles. Il est utile de bien se préparer afin de ne pas avoir peur de souffrir : vous pouvez apprivoiser chaque sensation, vous détendre et ainsi mieux gérer la douleur.

✻ Les méthodes naturelles

Si vous êtes opposée à la prise de médicaments, il existe des méthodes naturelles pour diminuer la douleur : bain chaud, méthode respiratoire, sophrologie, autohypnose… (voir p. 226).

✻ L'intervention médicale

Si les méthodes naturelles ne suffisent pas ou si vous décidez d'avoir recours à des solutions médicales, vous pourrez bénéficier d'une péridurale, la plus couramment utilisée en France, ou si elle est contre-indiquée pour vous (risques hémorragiques), vous pourrez opter pour une injection de Nubain® ou pour une pompe morphinique à actionner soi-même (PCA).

LE SAVIEZ-VOUS ?

ENVIRON 80 % DES FRANÇAISES accouchent sous péridurale, les autres ne peuvent y avoir recours ou optent pour des méthodes naturelles.

LA PÉRIDURALE EST LA FORME D'ANALGÉSIE LA PLUS UTILISÉE EN FRANCE POUR ACCOUCHER

Lorsque les contractions sont intenses et douloureuses, vous pouvez avoir recours, selon les maternités, à des méthodes naturelles, telles que l'acupuncture, ou pratiquer vous-même la sophrologie ou l'autohypnose si votre préparation à l'accouchement vous a initié à ces méthodes.

Vous pouvez également bénéficier d'une péridurale ou de substances analgésiques, à condition d'avoir au préalable consulté l'anesthésiste.

Uriner régulièrement pendant le travail est nécessaire, car une vessie pleine peut le ralentir.

La péridurale anesthésie localement la douleur. Une première injection anesthésiante est faite, afin d'introduire l'aiguille de la péridurale sans douleur. L'injection se fait dans la région lombaire, en position assise ou allongée sur le côté, quand le col est suffisamment dilaté (4 ou 5 cm).

Encore peu développé en France, le métier de doula, femme d'expérience chargée d'accompagner et de soutenir la future maman pendant toute sa grossesse, n'a pas encore d'existence officielle ni de reconnaissance médicale.

La présence du papa ou d'une personne de confiance à l'accouchement constitue un soutien essentiel, physique et moral. Elle permet de mieux gérer le stress.

Pendant le travail, la position accroupie ouvre le bassin et aide la descente du bébé.

L'utilisation d'un ballon de naissance peut stimuler les contractions en prenant appui ou en rebondissant sur lui.

Accoucher dans l'eau offre un environnement moins médicalisé, mais n'est possible que dans les maternités où l'équipe de sages-femmes a suivi une formation spécifique.

Accoucher dans l'eau

Détente et relaxation sont les mots associés à l'eau chaude. L'idée est séduisante, mais peu pratiquée en France. Cette méthode est plus répandue en Belgique.

✳ Les avantages

L'immersion dans l'eau chaude présente des avantages : la chaleur apaise les tensions musculaires, aide à se détendre et à supporter les douleurs. Grâce à la sensation de légèreté, la souffrance du dos est moindre et les changements de position plus faciles : s'accroupir est plus aisé et facilite la descente du bébé. Le travail est moins éprouvant et moins long. Statistiquement, les femmes qui accouchent ainsi sont moins nombreuses à subir une épisiotomie.

✳ Une arrivée en douceur

Pour le bébé, cette méthode est plus douce et lui permettrait de venir au monde plus détendu. L'eau, maintenue à 37 °C, lui rappelle le liquide amniotique dans lequel il vient de passer neuf mois. En sortant, il se met spontanément en apnée et n'inhale pas de liquide. Le fait que la mère soit immergée n'empêche en rien la surveillance du rythme cardiaque du bébé grâce à des moniteurs spéciaux.

✳ L'eau en début de travail

Très répandu dans le nord de l'Europe, l'accouchement dans l'eau est pratiqué en France par moins d'une dizaine de maternités, car il fait

IL Y A DES MILLIONS D'ANNÉES, L'EAU DE L'OCÉAN ÉTAIT AUSSI SALINE QUE LE LIQUIDE AMNIOTIQUE (0,9 %).

Le meilleur moment pour entrer dans l'eau se situe à environ 5 cm de dilatation du col.

l'objet de protocoles très précis. Il existe aussi des établissements équipés de bassins pour se relaxer pendant le travail, où les femmes ne peuvent cependant pas donner naissance : la phase d'expulsion et la délivrance se font à l'extérieur de la baignoire. Néanmoins, vous pouvez toutes profiter des propriétés de l'eau à la maison, en prenant un bain chaud au début du travail.

✳ Des contre-indications

Si cette méthode vous séduit, vérifiez s'il existe une maternité qui la pratique près de chez vous. Si c'est le cas, vous devrez suivre une préparation spécifique à partir du 5e mois de grossesse. Elle est néanmoins contre-indiquée si vous souffrez de problèmes de santé, tels que le diabète, l'hypertension artérielle, des problèmes cardiaques ou pulmonaires, une hépatite B… De même, une anomalie détectée chez l'enfant ou une mauvaise présentation rendent l'accouchement dans l'eau impossible.

C'EST AU DR MICHEL ODENT, un obstétricien français, que l'on doit, dans les années 1970, les premières expériences dans l'eau afin de permettre un accouchement en douceur.

Accoucher en maison de naissance

Les maisons de naissance sont encore rares en France. Ce sont des établissements où l'on peut accoucher comme chez soi, avec une sage-femme, dans un environnement rassurant et moins médicalisé, mais situé à proximité d'un bloc opératoire en cas d'urgence.

✻ Comme chez soi, en toute sécurité

Les maisons de naissance représentent une alternative à la maternité, car elles permettent aux femmes d'être suivies tout au long de leur grossesse et d'accoucher dans un lieu non médicalisé. Ces structures autonomes, placées sous la responsabilité d'une équipe de sages-femmes, sont attenantes à une maternité de telle sorte qu'en cas d'urgence médicale le transport vers un bloc opératoire se fait le plus rapidement possible. Si votre accouchement se déroule normalement, vous y mettrez votre enfant au monde sans voir une seule blouse blanche, avec la sage-femme qui vous a suivie pendant toute la grossesse. Après la naissance, vous pourrez y consulter pour l'examen postnatal des suites de couche.

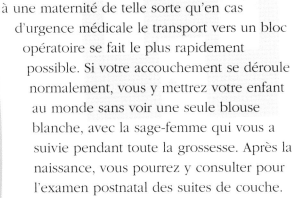

L'ACCOUCHEMENT
EN MAISON DE NAISSANCE
est dit physiologique,
c'est-à-dire non médicalisé.

76%

AU QUÉBEC, les maisons de naissance
sont plus répandues qu'en France.
En 2011, ce sont 76% des naissances
qui s'y sont déroulées.

✳ L'accouchement à domicile

En France, il est tout à fait déconseillé d'accoucher chez soi.
En cas de problème, il faut pouvoir être transportée à l'hôpital très
rapidement, ce qui est rarement possible si l'on compte le temps de
trouver une ambulance, de circuler dans les embouteillages en ville
ou de parcourir des kilomètres à la campagne. La durée du transport
peut être fatal pour la mère, comme pour l'enfant. Il est en outre
proscrit quand la mère présente des problèmes de santé – diabète,
hypertension artérielle, etc. – quand la grossesse ne s'est pas
déroulée normalement ou que l'accouchement est à risques –
grossesse gravidique, prééclampsie, présentation par le siège,
grossesse gémellaire ou multiple, placenta prævia. Depuis 2002,
compte tenu des risques, la loi exige des sages-femmes qui
accouchent à domicile qu'elles soient assurées, ce qui est rarement
le cas, en raison du coût prohibitif de cette assurance spécifique.

L'ambiance des maisons de naissance

Le décor est étudié pour créer une atmosphère
chaleureuse. Les lumières sont tamisées et l'ambiance
y est douce. Une baignoire permet de prendre un bain
pour se détendre. Le matériel de perfusion est placé
dans des placards fermés, à l'abri des regards. On s'y
installe avec le papa comme dans une chambre d'hôtel
pour vivre la naissance dans l'intimité.

Concentrez-vous sur l'instant !

Pendant les phases difficiles du travail, l'épreuve peut vous sembler éprouvante, pensez qu'elle représente un moment extraordinaire et vivez-la avec la plus grande attention.

✳ À la maison

Dès le début des contractions, vous pouvez aider votre femme à calculer leur durée et leur fréquence, des éléments décisifs pour estimer le moment du départ. Il faut attendre qu'une dizaine de contractions se succèdent toutes les 5 minutes. Détendez-vous ! Cette étape peut être assez longue. Tenez-lui compagnie, écoutez de la musique. Si elle le souhaite, faites-lui couler un bain afin d'atténuer ses douleurs et massez-lui le dos. Quand le travail s'accélère, conduisez-la à la maternité.

✳ À la maternité

Après les formalités d'entrée, on vous installe en salle de travail. Les contractions deviennent plus intenses et douloureuses. Si votre femme refuse tout contact physique, ne vous formalisez pas ! Soutenez-la par votre présence attentive. Il faut parfois encore attendre plusieurs heures que le col soit bien dilaté. Ensuite, on vous conduit en salle d'accouchement. À ce stade, elle est épuisée. Elle sent l'envie de pousser ou la sage-femme le lui demande.

À LA NAISSANCE, un bébé n'a pas de rotules. Elles se forment au 6ᵉ mois.

C'EST SANS DOUTE VOUS QUI ANNONCEREZ LA NOUVELLE. N'OUBLIEZ PAS DE RECHARGER VOTRE PORTABLE ET N'ENVOYEZ DES PHOTOS QU'AVEC L'ACCORD DE VOTRE FEMME.

Ne gênez pas le travail de l'équipe médicale : placez-vous à la hauteur de sa tête et prenez-lui la main. Lorsque vous voyez votre bébé pour la première fois, il a un aspect fripé et visqueux, c'est normal. En général, le bébé est mis contre la maman pour un premier contact, partagez ce moment avec eux.

✳ Vous êtes papa !

Votre femme a encore des contractions jusqu'à ce qu'elle ait expulsé le placenta. En cas de déchirure ou d'épisiotomie, elle a besoin de points de suture. Vous pouvez rester à ses côtés ou assister aux soins du nouveau-né : mesure, pesée, etc. Ensuite, vous êtes réunis tous les trois dans une chambre. Profitez de ce moment intime avant d'annoncer la naissance à l'entourage.

Oui

Prenez des photos de votre femme avec l'enfant dans les bras !

———————

Acceptez d'éventuels changements par rapport au projet de naissance, la santé de l'enfant passe avant tout.

———————

Prenez l'enfant dans vos bras pour un premier contact peau contre peau.

Non

Ne vous formalisez pas si votre femme est abrupte dans ses propos : c'est l'effet de la douleur !

———————

Ne vous laissez pas distraire par un appel, coupez votre portable !

———————

Ne vous inquiétez pas si le bébé a une tache de naissance : elle disparaîtra sans doute.

173

En France, un accouchement sur cinq, presque un sur quatre pour les primipares, se fait par césarienne. Ainsi, même en cas de problèmes, la mère et l'enfant arrivent au bout en sécurité.

Un accouchement programmé

Plusieurs motifs peuvent inciter à déterminer le jour : une convenance personnelle des parents ou une naissance à risque nécessitant une césarienne.

✳ Le déclenchement de confort

Il ne fait l'objet d'aucune indication médicale, mais répond au choix des parents pour convenance personnelle (fatigue intense de la mère, phobie de l'accouchement, déplacements fréquents du père qui craint d'être absent, etc.). La date choisie doit être très proche du terme et ne se fait que si le col est déjà ouvert. Sachez que le déclenchement est produit par un accélérateur chimique qui force un peu la nature.

✳ La césarienne

Elle est programmée si le médecin estime qu'un accouchement par voie basse représente un danger pour la mère ou pour l'enfant (voir page ci-contre). Elle a lieu en bloc opératoire, en général sous anesthésie locorégionale afin que la mère puisse être consciente. La césarienne peut être également décidée dans l'urgence quand le travail ne se déroule pas comme prévu et qu'il présente des risques pour la mère ou l'enfant : anomalies du rythme cardiaque du bébé, arrêt de la dilatation du col, passage du cordon dans le vagin, etc.

LE DÉCLENCHEMENT DE CONFORT doit être décidé conjointement par les parents et l'obstétricien. Ce dernier peut le refuser s'il estime que les conditions ne s'y prêtent pas.

10 cm

LA CÉSARIENNE laisse une cicatrice de 10 cm, horizontale et fine, qui sera cachée par les poils pubiens.

Quand pratique-t-on une césarienne ?

• **Le bébé se présente à l'envers**

Quand l'enfant se présente en position transversale, il faut envisager une césarienne. C'est le cas également s'il se présente en siège et qu'il est trop gros pour passer par le bassin maternel.

• **Il s'agit d'une grossesse multiple**

Elle rend l'accouchement par les voies naturelles plus délicat, notamment si les bébés partagent le même placenta ou s'ils sont de taille différente, par exemple.

• **Le bébé est trop gros**

Dans certains cas très rares, la tête du bébé est disproportionnée par rapport à la largeur du bassin de la future maman.

• **Dans les cas de complication du placenta**

Elle est programmée si le placenta est trop bas ou s'il recouvre le col (placenta prævia), ou quand il se détache trop rapidement de l'utérus (décollement placentaire).

• **Le bébé peine à sortir**

La césarienne permet d'extraire l'enfant rapidement quand on constate, au cours du travail, une anomalie de son rythme cardiaque.

• **La mère a des problèmes de santé**

Elle souffre de problèmes cardiaques ou d'hypertension artérielle, entre autres.

• **Le travail s'éternise**

Une césarienne peut être préconisée quand le col n'est pas totalement dilaté, que la mère et l'enfant sont épuisés et qu'en dépit des efforts, le bébé ne pointe pas son nez.

• **C'est le choix de la mère**

Il s'agit parfois d'une demande de la mère, pour convenance personnelle ou parce qu'elle a très peur d'accoucher par les voies naturelles, mais il ne faut pas oublier que la césarienne est un acte médical invasif et présente les risques inhérents à toute opération chirurgicale.

Quand le premier accouchement s'est déroulé par césarienne, le second a lieu par les voies naturelles dans 60 à 70 % des cas. Chaque grossesse est unique !

Le déroulement de la césarienne

La césarienne inquiète toujours les parents, car elle comporte les risques de la chirurgie. Mais l'intervention est maintenant très répandue et bien maîtrisée.

✻ La préparation

Le pubis de la mère est rasé, une sonde urinaire est posée pour vider la vessie, ainsi qu'une perfusion afin qu'elle reçoive les traitements nécessaires pendant et après l'intervention. La présence du papa au bloc opératoire est parfois possible, tout dépend des maternités.

✻ L'anesthésie

Une anesthésie locorégionale du bas du corps est réalisée, le plus souvent par péridurale. Si le travail des contractions n'a pas commencé, l'anesthésie se fait par rachianesthésie : le produit est injecté dans le liquide qui entoure la moelle épinière et agit plus rapidement. L'anesthésie locale permet à la mère de vivre pleinement la naissance et de se remettre plus vite. Une anesthésie générale n'est pratiquée que dans des situations d'urgence ou de contre-indications.

✻ En douceur !

La mère est installée sur la table d'opération, légèrement de biais pour soulager la pression de son utérus et de son abdomen, une position qui réduit le risque de chute de tension. Un écran masque le travail de l'obstétricien, mais une sage-femme reste présente pour expliquer ce qui se passe. L'obstétricien pratique une incision au niveau du pubis, en général horizontale. Les incisions verticales cicatrisent moins facilement et sont rares. Lorsqu'il s'agit d'une deuxième césarienne, l'incision reprend le tracé de la précédente. Les muscles abdominaux ne sont pas touchés, seulement écartés. La poche des eaux est rompue et le liquide amniotique est aspiré.

✳ En un éclair !

Le bébé vient au monde en 5 à 10 minutes ! Le ressenti est celui d'un mouvement dans le ventre lorsque le médecin extrait l'enfant avec ses mains, mais la manipulation est indolore. Si l'intervention a été décidée dans l'urgence en raison d'une souffrance du bébé, celui-ci peut avoir besoin de soins de réanimation immédiats. Si ce n'est pas nécessaire, la mère fait connaissance avec lui pendant que le médecin sort le placenta et referme la plaie, ce qui nécessite encore de 30 à 40 minutes. Parfois, on pose un drain, qui sera retiré au bout de deux jours et la sonde urinaire est maintenue encore quelques heures. Un traitement antibiotique et parfois des anticoagulants sont prescrits. Les fils doivent se résorber seuls, sinon ils seront retirés dans les jours qui suivent, le pansement est laissé et devra être changé régulièrement. La cicatrice s'atténuera au fil du temps pour n'être plus qu'une ligne blanche, à peine visible.

✳ Un contact immédiat

Une sage-femme veille à ce que le bébé soit bien au chaud, car la température du bloc opératoire est peu élevée. La mère est invitée à prendre son bébé dès que possible dans ses bras. Peu après l'intervention, elle peut allaiter si elle le souhaite.

LA CÉSARIENNE sauve des vies dans le monde entier et si leur nombre augmente, c'est en partie le fait des grossesses tardives, des naissances multiples et de l'obésité.

La convalescence

L'impatience de reprendre le cours de sa vie ne doit pas faire oublier que l'on vient de subir une intervention chirurgicale. Il faut prendre le temps de se remettre, à son propre rythme.

✳ Les jours suivants

Le pansement posé sur la cicatrice est changé au bout de 24 heures. Rire et tousser sont inconfortables, même un peu douloureux : un coussin posé sur le ventre à ce moment-là atténue la douleur. Des antalgiques sont prescrits, ainsi qu'un traitement antibiotique, parfois des anticoagulants pour prévenir les risques de phlébite et de thrombose. Des chaussettes de contention sont parfois nécessaires lorsqu'on reste allongée longtemps. Le plus souvent, la mère est invitée à se lever rapidement et à marcher un peu, même si la cicatrice est encore douloureuse. Les premiers jours, elle peut prendre une douche avec l'aide d'une infirmière.

✳ Du repos...

Le séjour à l'hôpital est un peu plus long, la sortie a lieu entre 4 à 6 jours après une césarienne, au lieu de 2 à 4 jours pour un accouchement naturel. La sage-femme explique les soins à apporter à la cicatrice pour éviter toute infection. De retour à la maison, il ne faut pas se hâter de reprendre ses activités habituelles, mais s'accorder du repos et faire des promenades tranquilles.

LA CÉSARIENNE a l'avantage de ménager le plancher pelvien, mais ne dispense pas de renforcer le périnée par des exercices. Attendez d'être rétablie pour commencer !

40 jours

LA CONVALESCENCE POSTCÉSARIENNE DURE ENVIRON 40 JOURS.

✳ ... et des soins

Si les fils de la plaie ne se résorbent pas seuls, une infirmière viendra à domicile pour les enlever et poursuivre les soins postopératoires. Au bout de deux mois, il faut revoir le médecin pour une consultation postnatale afin qu'il examine la cicatrice et s'assure de la bonne réparation des tissus. Tout a changé dans la vie de la jeune maman, mais elle doit reprendre des forces sans rien précipiter.

 # Oui

- Reposez-vous autant que possible, surtout les 15 premiers jours.

- Prenez l'enfant dans vos bras le plus souvent possible, d'autant que vous êtes moins mobile. Profitez de ces premières journées ensemble.

- Portez des sous-vêtements amples, en coton, afin de laisser la cicatrice respirer.

- Demandez de l'aide pour soulever la poussette, préparer les repas, sortir la poubelle, faire les courses…

- Quand vous sortez, prenez un taxi ou faites-vous conduire.

- Faites du yoga ou nagez, ne faites des exercices plus intenses qu'avec l'autorisation du médecin.

 # Non

- Ne soulevez rien de plus lourd que le bébé, pendant au moins six semaines, pour ménager vos muscles abdominaux.

- N'oubliez pas de bouger, en protégeant la cicatrice, pour renforcer vos muscles. Rester mobile prévient les risques de phlébite ou autres complications.

- Ne vous sentez pas coupable si vous ne parvenez pas à tout faire dans la maison. Seul, le temps passé à tisser des liens avec votre enfant est précieux.

- Ne vous isolez pas, surtout si vous avec le baby blues. Si vous ne pouvez sortir, appelez vos proches, parents et amis.

- Ne reprenez le volant qu'après 5 à 6 semaines, dès que vous pensez pouvoir freiner brutalement sans vous faire mal, sauf avis médical contraire.

Un chemin de traverse

La grossesse n'est pas une maladie, mais il arrive qu'elle soit sujette à des aléas et nécessite une intervention chirurgicale. Quel est votre rôle en cas de césarienne ?

✳ Un choix à faire

Si la césarienne a été programmée et si le personnel médical vous propose d'y assister, sans doute êtes-vous quelque peu inquiet. Allez-vous supporter la vue de l'intervention ? N'oubliez pas qu'un accouchement, quelle que soit la méthode utilisée, est un événement marquant et qu'il est utile, pour la maman, que vous restiez à ses côtés pour la soutenir, mais aussi pour partager ce moment. Bien sûr, si vous êtes très sensible et que vous craignez de vous évanouir, vous pouvez attendre à proximité du bloc.

✳ Le déroulement

Pour ne pas vous laisser surprendre, il est préférable que vous en connaissiez le déroulement. Votre femme est placée sous anesthésie locale, de sorte qu'elle est réveillée, mais ne sent rien. Le nombre de personnes présentes a parfois de quoi impressionner, mais chacune a un rôle à jouer dans le processus, notamment dans la manipulation des appareils. Un écran est installé entre la tête et le ventre de la maman afin qu'elle ne voie pas les gestes invasifs de l'obstétricien. Placez-vous près de sa tête, de façon à ne pas gêner l'équipe médicale, ce qui vous permet d'être près d'elle, de lui tenir la main,

LA PLAIE d'une césarienne cicatrise vite, mais attendez un peu avant de reprendre une vie sexuelle normale.

40 % DES CÉSARIENNES SONT PROGRAMMÉES AVANT LE DÉBUT DU TRAVAIL. LES AUTRES SONT DÉCIDÉES DANS L'URGENCE, EN CAS DE DÉTRESSE DE L'ENFANT, PAR EXEMPLE.

sans prêter attention aux gestes chirurgicaux. L'obstétricien pratique une incision au niveau du pubis. Dès que l'enfant est sorti, il le tend à la sage-femme, qui le sèche et l'enveloppe rapidement. Votre femme peut le prendre immédiatement dans ses bras avec votre aide. Il faut encore 30 à 40 minutes avant la fin de l'intervention, mais c'est le moment pour vous de faire la connaissance de votre bébé.

✳ La convalescence

Après l'intervention, vous passez tous les trois en salle de réveil. La température corporelle de votre femme a pu chuter, aussi ne vous inquiétez pas si vous la voyez trembler pendant un moment. Prévenez une sage-femme qui lui fournira une couverture. Si elle est déçue par la tournure des événements, rassurez-la : rappelez-lui que seul le résultat compte : un bébé en bonne santé ! Sa cicatrice la privera un temps de sa mobilité habituelle, votre soutien lui sera précieux.

Oui

Rassurez votre femme et concentrez-vous sur l'enfant.

Prenez des photos de la mère et de l'enfant, mais pas forcément au bloc. Attendez d'être en salle de réveil.

Demandez des explications au personnel médical.

Non

N'ayez pas peur de demander de la musique, si cela peut apaiser votre femme.

Ne regardez pas ce que fait l'obstétricien si vous redoutez de vous évanouir.

N'oubliez pas qu'elle aura besoin de temps pour se remettre de l'intervention.

Bonjour Bébé !

Bébé est né

Le moment tant attendu est arrivé : vous venez de faire la connaissance de votre enfant. Après le premier câlin, il devra être examiné, mais vous allez très vite le retrouver !

✳ Sain et sauf !

Dans les minutes qui suivent la naissance, le médecin examine le nouveau-né pour s'assurer qu'il n'a besoin d'aucun soin médical immédiat. On vérifie son pouls, sa respiration, ses réflexes, ainsi que sa motricité et son teint. Il passe sur la balance, ce que les bébés n'apprécient guère. Ces vérifications sont rapides, de sorte que vous avez à peine le temps de vous rendre compte de son absence.

LE SAVIEZ-VOUS ?

LE CONTACT PEAU CONTRE PEAU à la naissance procure de nombreux bienfaits. Il régule la température corporelle de l'enfant et apaise vos douleurs.

LE NOUVEAU-NÉ POSSÈDE ENVIRON 70 RÉFLEXES.

❋ La deuxième série d'examens

Au cours des premiers jours de sa vie, votre enfant est examiné par un pédiatre, qui vérifie que tout fonctionne normalement. Il semble en pleine santé, mais il vaut mieux déceler très tôt la moindre anomalie afin d'y remédier dans les meilleurs délais. Cet examen fait l'objet d'un premier certificat de santé.

 La tête. Le pédiatre mesure la circonférence crânienne et observe la taille de la fontanelle.

 La colonne vertébrale. Le médecin vérifie qu'elle est droite et sans irrégularités. Il contrôle le tonus et la souplesse du corps.

 Les yeux. Le reflet rétinien est contrôlé pour confirmer l'absence de cataracte.

 La bouche. Il faut s'assurer que le palais est intact et que la langue est mobile.

 Le cœur. À l'aide d'un stéthoscope, le pédiatre vérifie le rythme cardiaque, qui doit dépasser 100 battements par minute chez le nouveau-né.

 Les pieds et les mains. Il vérifie le nombre de doigts et les réflexes. La position des pieds est examinée pour s'assurer qu'il n'y a pas de malposition.

 Les poumons. Le médecin écoute sa respiration au stéthoscope pour détecter une irrégularité, une lenteur ou une difficulté respiratoire.

 Les hanches. Il pratique une rotation légère et indolore des hanches pour éliminer la présence d'une luxation congénitale.

 L'ouïe. Dans certaines maternités, on réalise des tests d'audition à l'aide d'une petite sonde placée à l'entrée des oreilles du bébé. Ces tests sont indolores.

Pas de panique !
10 MANIFESTATIONS
DONT IL NE FAUT PAS S'INQUIÉTER

1 ### Des selles noires
Le nouveau-né élimine le méconium, des selles foncées
et verdâtres, résultat de la digestion du liquide amniotique
absorbé *in utero*. Leur aspect change quand Bébé boit du lait.

2 ### Régurgitations et vomissements
Les bébés régurgitent un peu de ce qu'ils viennent de boire :
ils rejettent en fait des gaz. En cas de vomissements violents,
consultez le médecin. Tant que l'enfant garde la majorité de ce
qu'il ingère et prend du poids, il n'y a pas de quoi s'inquiéter.

3 ### Des papules blanches
Environ 40 % des nouveau-nés développent ce type d'acné,
ou milium, dans le cou, sur le visage et le cuir chevelu. Il est lié
au fonctionnement des glandes sudoripares et sébacées.
Ne percez pas ces papules, elles disparaîtront d'elles-mêmes.

4 ### Des rougeurs
Les petites taches qui peuvent apparaître sur tout le corps
de l'enfant sont elles aussi dues aux glandes sudoripares
et sébacées et disparaissent au bout de 4 à 5 jours.

5 ### Des croûtes blanches ou jaunes
Vous notez des croûtes sur la tête du nouveau-né ? Ne les
grattez pas, car sa peau est sensible. Appliquez délicatement
de l'huile d'amande douce, elles vont tomber toutes seules.

BOUTONS, ROUGEURS, SELLES NOIRES,
vous vous interrogez sur tous ces signes,
mais ils n'ont rien d'alarmant ! Ce sont des
manifestations normales et temporaires.

6

Des desquamations

Il n'est pas rare que la peau des bébés pèle, surtout lorsqu'ils sont nés après terme. Si c'est le cas du vôtre, ne le baignez pas trop souvent et appliquez-lui une crème hydratante.

7

Une tache pigmentaire

Il présente une tache pigmentaire bleutée sur la fesse ou dans le bas du dos. Ce phénomène est courant chez les enfants d'origine asiatique, africaine, parfois méditerranéenne ou métis, et il s'estompe avec le temps.

8

La fontanelle

Les bébés naissent avec les os du crâne non soudés pour permettre à la tête de franchir en souplesse le bassin maternel. La partie molle en haut du crâne se nomme la fontanelle et donne l'impression de palpiter : il n'y a pas lieu de s'en inquiéter.

9

Les taches de naissance

De nombreux bébés naissent avec de petites zones rouges sur la nuque, le front ou les paupières. Ces taches de naissance s'estompent au bout de quelques années.

10

Des pertes sanguines chez la fille

Les hormones maternelles, dont le taux est élevé pendant la grossesse, peuvent stimuler l'utérus des petites filles, qui élimine un peu de sang au cours de la première semaine de vie.

Les enfants caucasiens naissent avec les yeux bleus, tandis que les bébés d'origine asiatique ou africaine ont les yeux gris ou marron. La couleur n'est définitive qu'après 6 à 9 mois.

BÉBÉ PLEURE SANS LARMES, ELLES APPARAÎTRONT ENTRE 1 ET 3 MOIS.

Le nouveau-né dans tous ses états

Les premières semaines sont toujours émouvantes pour les jeunes parents, qui font connaissance avec leur bébé. De grands moments en perspective !

✳ Le coup de foudre ?

Chacun tisse des liens à son rythme. Au moment de la naissance, expérience riche en émotions, vous pouvez ressentir un élan d'amour ou une grande lassitude. Parfois, les parents ne prennent vraiment conscience de la présence de l'enfant qu'après le retour à la maison. Il n'existe pas de normes, chaque relation est unique.

✳ Une drôle de frimousse

À la naissance, les bébés ont parfois la tête en forme de poire, le visage rouge et fripé, la peau sèche, les yeux bouffis… Ces marques peuvent être liées aux efforts de la naissance ou aux jours supplémentaires passés *in utero* lorsqu'ils naissent après terme. Tout cela est provisoire : la forme du crâne et le teint d'un enfant changent à une vitesse incroyable.

Maman !

LE SAVIEZ-VOUS ?

UN NOUVEAU-NÉ respire environ 40 fois par minute, un adulte inspire et souffle de 12 à 20 fois.

AVANT 6 SEMAINES, UN BÉBÉ VOIT FLOU AU-DELÀ DE 20 À 30 MÈTRES.

✳ Les premières semaines

Les nouveau-nés passent beaucoup de temps à dormir, mais ils savent toujours comment attirer l'attention et obtenir les soins dont ils ont besoin. Certains sont plus éveillés la nuit, c'est éprouvant pour les parents, mais n'a rien d'inquiétant! Au début, votre bébé voit flou, mais il entend tout. Il est particulièrement sensible à votre voix, mais aussi à celle de son papa. Au bout de six semaines, il vous accordera ses premiers sourires et vous tomberez sous le charme.

EN ARMÉNIE, les jeunes mères ne sortent pas de la maison pendant les 40 premiers jours. Seuls les membres du foyer ont le droit de voir le bébé.

AU NÉPAL, les familles présentent le nouveau-né à un prêtre avant de choisir son prénom.

DÉTAILS PRATIQUES

1. Naître est épuisant. Dès la première heure, votre bébé a besoin d'une tétée.

2. Il a faim toutes les deux ou trois heures. Inutile de régler votre réveil : il sait vous appeler par ses pleurs.

3. Un nouveau-né perd 5 à 8 % de son poids de naissance au cours de la première semaine, mais il le reprend très vite.

4. Les nourrissons ont tendance à ronfler ou à hoqueter durant leur sommeil.

5. Si vous allaitez, prenez conseil auprès du personnel médical.

6. Si vous nourrissez l'enfant au biberon, ayez une bonne réserve de lait, mais ne préparez pas les biberons à l'avance.

7. Un bébé émet plusieurs selles par jour et urine toutes les 2 à 3 heures, un peu moins s'il est nourri au sein. Changez-le régulièrement pour prévenir les rougeurs.

8. S'occuper d'un nourrisson prend un temps fou. Si vous le pouvez, faites-vous aider dans les tâches ménagères !

9. Ayez toujours des couches en stock et des vêtements propres : s'il régurgite ou vomit, vous devrez le changer plus souvent, car le lait caillé sent mauvais.

189

Le lait maternel est un aliment idéal. Toutefois, l'allaitement ne convient pas à toutes les mamans.

Allaiter au sein ou au biberon ?

Rien ne vaut le lait maternel, dit-on, mais pour quelles raisons ? Votre enfant sera-t-il lésé s'il est nourri au biberon ? Voici quelques réponses.

✳ Pourquoi allaiter ?

• Le lait maternel s'adapte en permanence aux besoins de l'enfant. Du colostrum des premiers jours, riche en nutriments, au lait des jours suivants, constitué de plus de lipides et de calories, il change de composition au rythme de la croissance du bébé.

• Le lait maternel renforce le système immunitaire. Il fournit des anticorps et des globules blancs qui protègent l'enfant les premiers mois.

• Les enfants nourris au sein seraient moins susceptibles de souffrir d'infections, de problèmes respiratoires et d'eczéma.

• L'allaitement maternel est un système efficace : lorsque l'enfant tète, les terminaisons nerveuses des seins sont stimulées et déclenchent une sécrétion de prolactine, l'hormone de la lactation.

• Le lait maternel étanche la soif et rassasie. Au début de l'allaitement, l'enfant consomme un premier lait fluide, qui fait place à un lait plus riche à mesure que le sein se vide.

• Le lait maternel est particulièrement digeste et provoque moins de constipations que le lait maternisé.

• Le lait maternel stimule l'enfant dans la journée et le détend la nuit.

• L'allaitement est pratique, on peut nourrir son enfant en toutes circonstances, avec un lait à bonne température.

• Les bienfaits de l'allaitement ne concernent pas uniquement l'enfant, mais aussi la mère. Il déclenche une sécrétion d'ocytocine, qui joue un rôle dans l'attachement parental. Il brûle des calories, il aide ainsi de nombreuses femmes à perdre plus vite du poids. À long terme, les risques de cancers et d'ostéoporose seraient réduits.

LE SAVIEZ-VOUS ?

LE PREMIER LAIT MATERNISÉ fut élaboré en 1867. Sa fabrication a fait l'objet de nombreuses recherches et il s'est bien amélioré au fil des années.

1867

✳ **Pourquoi donner le biberon ?**

• Le lait maternisé, à base de lait de vache, est une excellente alternative, car il a été conçu au plus près du lait maternel et répond aux besoins nutritionnels du bébé. Les formules à base de protéines de petit-lait sont en général plus faciles à digérer.

• Le biberon permet de savoir exactement la quantité de lait ingéré par l'enfant.

• Les enfants nourris au biberon présentent une courbe de poids plus régulière que ceux nourris au sein, à condition de respecter les doses et l'appétit du bébé.

• L'allaitement peut être partagé avec le papa, qui tisse plus rapidement des liens avec son enfant. La maman en profite pour dormir davantage et récupérer plus vite.

• Le biberon a d'autres avantages : pas de mamelons irrités ni de fuites de lait gênantes ! Et la mère mange et boit ce qu'elle veut sans se soucier des conséquences pour l'enfant.

LE ROT
LES POSITIONS IDÉALES

1. Tenez votre bébé bien droit, la tête sur votre épaule, et massez-lui le dos en effectuant un mouvement circulaire.

2. Asseyez-le sur vos genoux en le maintenant bien droit et penchez-le un peu en avant en lui massant le dos.

3. Allongez-le sur le ventre, sur vos genoux, en le soutenant d'une main par les aisselles et en lui massant le dos de l'autre main.

4. Allongez-le sur le dos et décrivez un mouvement de pédalage de ses jambes, d'avant en arrière pour que chacune d'elles vienne alternativement sur le ventre. Cela le masse et fait sortir les gaz.

5. Posez l'enfant sur le ventre, le long de votre bras, en lui soutenant la tête et massez-lui le dos en le berçant.

LA FRANCE

est le pays d'Europe où l'on allaite le moins et le moins longtemps.

69% des Françaises donnent le sein à la maternité,
54% allaitent pendant 1 mois,
32% jusqu'à 3 mois.

Au sein ou au biberon
10 CONSEILS POUR LE NOURRIR

Évitez les asperges, car votre lait aurait un goût soufré que les bébés n'aiment pas.

1

Trouvez une position confortable
Une tétée dure de dix minutes à une heure. Installez-vous confortablement, le dos droit. Mettez-vous en appui sur un coussin. La nuit, vous pouvez le nourrir dans votre lit, allongée ou assise.

2

Réunissez tout ce dont vous avez besoin
Gardez à portée de main un verre d'eau, pour vous réhydrater, votre téléphone, des mouchoirs, etc. Pendant qu'il boit, essayez de vous détendre.

3

Bébé est-il prêt ?
Rapprochez-le de vous et placez-le contre votre mamelon, ou portez la tétine du biberon à ses lèvres. Il ouvrira automatiquement la bouche pour commencer à téter.

4

Prenez votre temps
Laissez votre enfant boire jusqu'à ce qu'il ait terminé. Au sein, il bénéficiera du premier lait hydratant, puis du second, plus riche en nutriments, avant que vous ne changiez de sein. Au biberon, il saura s'arrêter quand il n'aura plus faim.

5

Suivez son rythme
Un nouveau-né a besoin de téter toutes les deux ou trois heures, car son estomac a une petite contenance. Le nourrir à la demande est idéal pour lui (et pour votre production de lait si vous allaitez)..

AVANT DE DONNER
LE BIBERON, TESTEZ
TOUJOURS LA TEMPÉRATURE
DU LAIT SUR VOTRE MAIN.

LA PLUPART DES MAMANS
produisent plus de lait dans
leur sein droit, mais il est
nécessaire d'utiliser les deux !

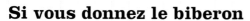

Le top 10

6 Si vous donnez le biberon

Vérifiez toujours que le bouchon de la tétine n'est pas trop serré et qu'il laisse passer un peu d'air, sinon la succion sera plus difficile.

7 Si vous allaitez

Parfois, les seins sont gorgés de lait et lourds. Il est indispensable de porter un soutien-gorge d'allaitement, qui soutient bien et possède une ouverture spécifique.

8 Des seins irrités ?

Entre deux tétées, aérez-les et posez une crème à la lanoline, elle hydrate, apaise et protège.

9 Des douleurs ?

Si vous sentez une impression d'engorgement, le fait d'allaiter va vous soulager.

10 Faut-il s'acharner ?

Les premiers temps peuvent être difficiles : persévérez, car l'allaitement demande un peu d'entraînement. Mais si vous pensez que cela ne vous convient pas, passez au biberon sans culpabilité !

193

LES BÉBÉS PLEUREN
souvent en fin
d'après-midi et en
début de soirée.

Bébé pleure

Les pleurs d'un nouveau-né déstabilisent quelquefois les jeunes parents, surtout quand ils n'en connaissent pas la cause. Apprenez à les interpréter pour apaiser votre enfant !

✳ Le bercement de vos pas

Si vous ne comprenez pas pourquoi l'enfant pleure, prenez-le dans vos bras ou placez-le dans un porte-bébé et faites quelques pas. Votre mouvement régulier le bercera.

✳ Du calme et de la douceur

Les bébés sont très sensibles au stress, il est donc préférable de garder son calme. Si les pleurs incessants vous irritent, sortez l'enfant de la maison. Un changement de cadre vous fera du bien à tous les deux. Si vous êtes à bout, déposez-le dans un endroit sûr (son berceau) et laissez-le pleurer quelques minutes en quittant la pièce. Respirez profondément, dites-vous que cela va passer. Les bébés pleurent-ils parfois parce qu'ils ont de l'énergie à dépenser ? Pour les comprendre, lisez la liste ci-contre indiquant l'origine des pleurs.

Le temps que le bébé passe à pleurer augmente pendant les six premières semaines environ, puis il diminue peu à peu jusqu'à 3 ou 4 mois. Ensuite, la durée des pleurs est relativement stable.

LA VOIX
Parlez-lui ou chantez-lui une chanson.

DE LA MUSIQUE
Faites-lui écouter une boîte à musique ou une mélodie.

UN BAIN
Certains bébés adorent prendre un bain à n'importe quelle heure de la journée.

UN CONTACT
Placez votre enfant contre votre peau nue afin qu'il sente les battements de votre cœur.

Des idées pour l'apaiser

LA SUCCION
Proposez-lui une tétine ou votre petit doigt.

UNE DIVERSION
Appelez une amie, rendez-lui visite ou invitez-la chez vous.

UN BOL D'AIR
Faites une promenade.

QUELLE EST L'ORIGINE DES PLEURS D'UN BÉBÉ ?

Il a faim. Il fait des bruits de succion, se suce les mains.

Il est fatigué. Il bâille, évite le regard.

Il a besoin d'être changé. Vérifiez sa couche.

Il veut être porté. Il se calme dès que vous le prenez.

Il a froid. Il a le torse froid. Couvrez-le davantage.

Il a chaud. Il est rouge et transpire. Allégez sa tenue.

Il a besoin de stimulation. Il s'ennuie. Jouez avec lui.

Il est trop stimulé. Il ne supporte pas l'agitation ambiante, il veut dormir.

Il a mal au ventre. Il pleure après un repas et plie les jambes. Il a des gaz.

Il fait ses dents. Il a les joues rouges, une dent apparaît. Passez-lui du gel gingival.

Il ne se sent pas bien. Il a les fesses rouges, de la fièvre, un rhume. Prenez sa température.

TOUS CES SIGNES peuvent expliquer pourquoi il pleure et vous aider à y répondre.

Un nouveau-né dort 16 heures et demie par jour en moyenne, réparties sur 24 heures. À 3 mois, il dort environ 10 heures par nuit, en s'interrompant pour les repas, et 5 heures dans la journée.

Dormir comme un bébé

Vous serez peut-être étonnée du temps que votre nouveau-né passe à dormir. Au départ, laissez-le suivre son rythme, puis imposez peu à peu le vôtre et créez pour lui une ambiance sécurisante.

✳ Où le faire dormir ?

Pendant les six premiers mois, Bébé sera plus en sécurité dans votre chambre, dans un berceau, éventuellement dans un couffin. Évitez les lits sans bordures de protection, car les bébés peuvent se retourner. Couchez-le sur le dos. Un oreiller n'est pas utile. Ne surchauffez pas la chambre : la température idéale est de 19 °C. La plupart des spécialistes déconseillent de faire dormir un nourrisson dans le lit des parents, car il court le risque d'être heurté par l'un d'eux, coincé sous la couette et perturbé par les réveils de l'un ou l'autre. Cependant aujourd'hui, certains parents sont adeptes du cododo, qui serait sécurisant pour l'enfant. À chacun de choisir la pratique qui lui semble la meilleure. Le cododo est sûrement utile quand l'enfant est malade ou pleure beaucoup.

✳ La tenue idéale

La turbulette, à enfiler sur le pyjama, est très pratique et elle est plus sûre qu'une

POUR LA SIESTE, couchez votre enfant bien à plat et non dans une nacelle. En revanche, il n'est pas nécessaire qu'il soit dans le silence absolu ou dans le noir.

UN BERCEAU CONSTITUE LE COUCHAGE IDÉAL D'UN NOUVEAU-NÉ.

couette ou une couverture. Elle lui évite de se retrouver la tête dessous ou de se découvrir. En été, habillez l'enfant plus légèrement et vérifiez qu'il n'a pas trop chaud en lui touchant le ventre.

✳ Le rituel du coucher

En couchant l'enfant au même endroit et à la même heure tous les jours, vous lui permettrez d'associer le coucher au repos. Ces rituels fonctionnent à partir de trois mois environ. Chacune trouvera celui qui apaise l'enfant, une tétée, de la musique douce, une berceuse, etc. Déposez délicatement l'enfant dans son berceau quand il montre des signes de fatigue afin qu'il puisse sombrer dans le sommeil. N'attendez pas qu'il soit totalement endormi, les enfants qui s'endorment dans les bras de leur mère sont parfois désorientés lorsqu'ils se réveillent ailleurs. Il faut alors les rassurer de nouveau.

✳ Les tétées nocturnes

Le cerveau du bébé apprend progressivement à distinguer le jour et la nuit. Les tétées nocturnes doivent être différentes, calmes, avec un éclairage tamisé, et prises bien au chaud. Effectuez-les toujours au même endroit, dans votre chambre par exemple. Limitez vos déplacements et vos mouvements, ne le changez pas, sauf s'il est grognon. Vous vous rendormirez plus vite tous les deux si vous êtes dans une ambiance douce et paisible.

Si vous avez du mal à tenir votre enfant dans l'eau et à le laver en même temps, procurez-vous un petit transat de bain ou un coussin spécifique. Ils facilitent la toilette des bébés.

C'est l'heure du bain !

Un bébé n'a pas besoin d'un bain tous les jours, une toilette suffit. Mais certains aiment tellement ce moment… Et pourquoi pas un bain à deux, ce sera l'occasion d'un câlin !

❋ Comment baigner un nouveau-né ?

La pièce doit être bien chauffée et sans courants d'air. Une petite baignoire rend les choses plus pratiques : vous la remplirez plus vite que la grande et Bébé ne s'y sentira pas perdu. Préparez le matériel pour tout avoir à portée de main et ne le quittez jamais des yeux. Un nouveau-né n'a pas besoin de shampooing, le savon suffit. Lavez-le d'abord sur le matelas à langer, puis rincez-le dans la baignoire.

1. Emplissez la baignoire à moitié avec de l'eau à 36-37 °C. Mettez le bébé, en body pour qu'il n'ait pas froid, sur une serviette douce posée sur le matelas à langer.

2. Imbibez un morceau de coton et nettoyez avec soin un œil, en partant du nez vers l'extérieur. Changez de coton pour nettoyer l'autre œil. Répétez l'opération sur les oreilles et les narines. N'appuyez pas trop fort, la peau des bébés est délicate.

3. À l'aide d'un gant de toilette essoré, nettoyez maintenant son visage en évitant les yeux. N'oubliez pas les plis du cou où la sueur et le lait peuvent provoquer des irritations. Séchez-le avec une serviette chaude.

4. Pour lui laver les cheveux, soutenez-lui la tête en la posant dans votre paume. D'une main, arrosez-lui les cheveux et savonnez doucement en protégeant les yeux.

LE SAVIEZ-VOUS ?

EN TURQUIE, LA MÈRE ET L'ENFANT
vont au hammam 40 jours après
la naissance pour une cérémonie rituelle,
qui se déroule en chansons.

L'HEURE IDÉALE DU
BAIN SE SITUE JUSTE
AVANT LE DERNIER
REPAS DU SOIR.

✳ Un bain à deux

Certains bébés détestent être nus. Si c'est le cas,
prenez un bain avec lui, vous le tiendrez contre
vous et cela le sécurisera. Vérifiez d'abord
la température de l'eau avec votre coude
ou un thermomètre de bain. Une fois installée,
demandez au papa de vous tendre l'enfant, une
main sous les fesses, l'autre sous la tête. Posez le dos
du bébé contre votre ventre en l'asseyant sur vos genoux.
Au moment de sortir de l'eau, tendez-le d'abord au papa.

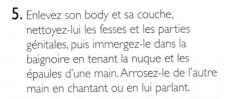

5. Enlevez son body et sa couche,
nettoyez-lui les fesses et les parties
génitales, puis immergez-le dans la
baignoire en tenant la nuque et les
épaules d'une main. Arrosez-le de l'autre
main en chantant ou en lui parlant.

6. Sortez-le de l'eau, enveloppez-le dans
une serviette et frottez-le doucement.
Appliquez une crème hydratante sur ses
fesses, si nécessaire, avant de lui mettre
une couche et de le rhabiller.

ATTENTION !
Ne laissez jamais un bébé
seul dans son bain, même
quelques secondes.

Le planning de la jeune maman

ORGANISEZ-VOUS !

1 · Portez-le !

Les nouveau-nés adorent se promener en sécurité contre leurs parents. Le porte-bébé et l'écharpe de portage sont très pratiques et permettent d'aller partout en toute liberté et en gardant les mains libres.

2 · Changez de décor !

Si vous vous sentez à l'étroit chez vous, partez une journée chez des proches. Il est possible de prendre le bus ou le train avec un porte-bébé et un sac contenant le nécessaire pour quelques heures, l'idéal étant de se déplacer en voiture.

3 · Des sorties culturelles

Ne vous coupez pas du monde ! Le nouveau-né dort une grande partie de la journée, sortez en le mettant dans son landau ou dans un porte-bébé et allez voir un musée, une exposition, faites un tour à la médiathèque, etc.

4 · Du temps pour soi

Il est important de garder du temps pour soi. Si vous n'allaitez pas, faites garder Bébé par son papa ou par une baby-sitter et retrouvez vos amis le temps d'un café ou d'un repas.

5 · Faites des rencontres

Toutes les femmes qui viennent d'avoir un enfant connaissent les mêmes émotions. C'est le moment d'élargir votre cercle, invitez d'autres mamans : pensez à celles que vous avez rencontrées aux séances de préparation à l'accouchement.

ÊTRE UNE JEUNE MAMAN

apporte beaucoup de joie, mais nécessite
un peu d'organisation. Voici quelques idées
pour vous aider dans cette nouvelle vie !

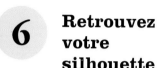

6 Retrouvez votre silhouette

Votre bébé est né et vous avez toujours l'air d'être enceinte ? C'est le moment de reprendre le sport et de manger sainement. Si vous allaitez, évitez les régimes, qui risquent d'affecter la production de lait.

7 Un coup de blues

La plupart des jeunes mamans sont très sensibles. Après la naissance, le baby blues est fréquent, il dure quelques jours et disparaît. S'il persiste, voyez votre médecin pour vérifier qu'il ne s'agit pas d'une dépression post-partum (voir p.202-203).

8 Suivez des cours

Inscrivez-vous à des cours « maman-bébé ». C'est un excellent moyen de faire des rencontres. Essayez le yoga ou les massages pour bébé, la gymnastique ou les cours de bébés nageurs. Vous en retirerez tous les deux des bienfaits.

9 Tissez des liens avec Bébé

Vous avez l'impression d'être débordée ? Délaissez les tâches non urgentes et prenez le temps d'établir des contacts tactiles avec Bébé. Laissez-le toucher votre visage et vous regarder dans les yeux. Les effets seront positifs pour les deux.

10 Équilibrez famille et travail

Même si vous avez délaissé pour un temps votre vie professionnelle, il ne s'agit que d'une pause dans votre carrière. Gardez contact avec vos collègues !

Le top 10

Le baby blues

LE MORAL EN BERNE ?

Prenez soin de vous

Un bébé exige beaucoup d'attention, sa maman
en mérite tout autant. Les hormones jouent des tours
et la fatigue mène parfois à cette question : «la jeune
femme que j'étais n'a-t-elle pas disparu?»

✱ Les caprices des hormones

Votre corps a rempli sa mission, vous avez mis au monde un petit
être et vous cherchez désormais à retrouver une vie normale.
Au cœur de cette tempête hormonale, dans les jours qui suivent
la naissance, il arrive que le baby blues s'installe. On pense qu'il

Oui

Quand Bébé dort, lisez un bon
roman ou regardez un DVD.

Faites provision d'aliments énergétiques,
faciles à préparer, fruits frais et secs,
céréales, produits laitiers.

Dopez votre humeur avec ce qui
vous fait du bien : un concert,
une exposition, une
promenade…

Non

Ne vous sentez
pas obligée d'inviter toute la famille :
vous êtes en convalescence.

Ne vous repliez pas sur vous-même,
intéressez-vous aux événements extérieurs.

Ne restez pas silencieuse,
appelez à l'aide !

CONSEIL

FÊTER LA NAISSANCE avec une coupe de champagne est une bonne idée (sauf si vous allaitez!). Mais si vous êtes déprimée, en boire davantage aggraverait la situation !

LA DÉPRESSION POST-PARTUM NÉCESSITE UN SUIVI PSYCHOLOGIQUE.

est provoqué par une chute d'œstrogènes qui rend plus vulnérable. Le baby blues est à son comble entre les troisième et dixième jours après l'accouchement. Reposez-vous ! Si vous le pouvez, dès que Bébé dort, dormez aussi. Vous vous sentirez mieux.

✳ Partagez les tâches

Plus que jamais, vous avez besoin de sommeil et d'une alimentation saine, mais aussi de tendresse et d'attention. L'arrivée d'un bébé ne facilite pas les choses. Faites-vous aider. Le week-end, demandez au papa de participer à la préparation des repas et de coucher le bébé. Chargez-le de le surveiller pendant que vous prenez un bain relaxant. Commandez vos courses par Internet et faites-les livrer ; si vous en avez la possibilité, employez une femme de ménage. Si vous avez l'habitude d'être entourée de collègues, vos journées vont vous sembler silencieuses, même avec un nouveau-né. Ne vous refermez pas sur vous-même. Invitez des amis. Même si vous n'en avez pas vraiment envie, sortez. Inscrivez-vous à des activités «maman-bébé». La fatigue et la solitude n'aident pas à sortir du baby blues.

✳ Et si c'était plus sérieux ?

Si vous vous sentez dépassée ou si vous subissez l'un des symptômes suivants, parlez-en à votre médecin.

- Vous ne voyez plus le bon côté des choses.
- Vous vous sentez seule et vous vous ennuyez.
- Vous pleurez, vous en avez assez.
- Vous êtes très distraite et souvent en retard.
- Vous avez du mal à trouver le sommeil même si vous êtes fatiguée.

Votre visite postnatale

Après la naissance, vous avez des obligations pour ne pas perdre vos avantages. Huit semaines après l'accouchement, vous devez effectuer une visite postnatale. La consultation peut avoir lieu à l'hôpital ou chez le praticien de votre choix. Elle est remboursée par la Sécurité sociale.

Un examen clinique

Vous subirez un examen au cours duquel le médecin vérifiera que vos organes génitaux sont bien en place. Il examinera également vos seins, votre paroi abdominale et votre périnée. Signalez-lui toute anomalie (varices, hémorroïdes, etc.).

Une rééducation périnéale

Le périnée, ensemble des muscles qui se situent autour de l'anus et des organes génitaux, a subi de grandes pressions pendant la grossesse. À l'issue de cette consultation, le médecin vous prescrira des séances de rééducation périnéale avec une kinésithérapeute afin d'éviter des fuites urinaires ultérieures.

Une contraception

Attendez la fin des saignements et la cicatrisation de la vulve pour reprendre une activité sexuelle. Ne vous fiez pas à la tradition qui veut qu'une femme qui allaite soit protégée d'une nouvelle grossesse : ce n'est qu'une légende. Demandez au médecin de vous prescrire une contraception.

Une aide psychologique

Si vous avez l'impression d'être épuisée, anxieuse et de ne pas pouvoir vous en sortir seule, contactez les sages-femmes de la maternité. Elles pourront vous conseiller et vous orienter vers un psychologue si vous en faites la demande. Ne prenez pas le risque de vous installer dans une dépression.

POURQUOI PAS UNE CURE POSTNATALE dans un centre thermal ?
Conçue pour recevoir la maman avec son bébé, elle propose une
remise en forme avec des bains, des soins drainants, des massages,
de la gymnastique… et peut avoir lieu dès le retour de couches.

L'examen postnatal de l'enfant

Votre bébé a déjà été vu
par un pédiatre à la maternité.
La première année, il va encore
bénéficier de huit visites
médicales. Les trois premières
doivent avoir lieu respectivement
dans les 8 à 10 jours après
la sortie de la maternité, avant
la fin du 1er mois et avant la fin
du 2e mois.

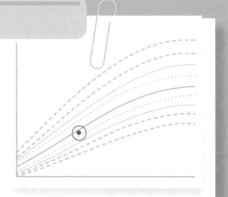

Où consulter ?

Vous pouvez vous rendre chez votre
médecin traitant, chez un pédiatre
ou dans un centre de PMI
(protection maternelle et infantile),
munie du carnet de santé qui vous
a été remis à la maternité.

Les visites médicales

Au cours de la première visite,
le médecin vous interroge
sur vos antécédents familiaux,
sur le comportement du bébé,
son alimentation, son sommeil et
ses problèmes éventuels. Il le pèse,
le mesure, vérifie son tonus, la mobilité
de ses membres et examine sa peau
et sa colonne vertébrale. Il palpe son
abdomen, contrôle le fonctionnement
du cœur et des poumons, sans oublier
la vue et l'audition. Les visites des 2e,
3e et 4e mois sont utiles pour vérifier
que l'enfant évolue normalement.
Enfin, sachez que le bilan de santé du
9e mois ouvre droit aux prestations
familiales (CAF).

Les vaccins

N'oubliez pas de faire vacciner votre
enfant ! Le calendrier vaccinal figure
dans son carnet de santé. Lors du
1er mois, seul le BCG est préconisé,
mais il n'est plus obligatoire partout.

Une nouvelle vie

Vous êtes de retour à la maison avec votre femme
et votre bébé. Vous découvrez une nouvelle vie pleine
de surprises et d'obligations.

✳ Les nuits blanches

Au départ, vos nuits sont sans doute un peu perturbées. Profitez
donc de la moindre occasion pour faire un somme, même quelques
minutes sur un fauteuil, pour recharger les batteries. N'abusez pas
du café pour rester éveillé et n'oubliez jamais que votre femme est
sans doute plus fatiguée que vous. La nuit, n'hésitez pas à préparer
le biberon et à le donner si elle n'allaite pas, ou à vous occuper
du bébé, le week-end, pour qu'elle puisse dormir un peu.

✳ Des journées bien remplies

La jeune maman doit à la fois s'occuper du bébé et se remettre
de son accouchement. Prenez soin d'elle. Si elle allaite, apportez-lui
des coussins et proposez-lui une boisson. Prenez l'habitude de faire
faire son rot au bébé, il apprendra à mieux vous connaître et
se familiarisera avec votre voix et votre odeur. Si elle n'allaite pas,
donnez le biberon de temps en temps. Vous pouvez aussi lui
faire prendre son bain. Ce temps partagé avec lui aura des effets
bénéfiques sur la relation que vous allez construire. Veillez à
respecter un programme quotidien avec des horaires réguliers, cela
permettra à votre enfant de trouver son équilibre et vous aidera tous

QUAND ON LE PLONGE DANS L'EAU, votre bébé agite les membres. Il s'agit d'un réflexe de survie qui ne signifie en rien qu'il sait nager. Maintenez-le fermement au moment du bain.

71 %

DANS LE MONDE, 71 % DES PARENTS DORMENT AVEC LEURS ENFANTS.

Oui

Prenez en charge un certain nombre de soins du bébé.

———————

Limitez vos sorties et les heures supplémentaires au travail pour profiter de la vie de famille.

———————

Commandez les courses par Internet et faites-vous livrer.

Non

Ne soyez pas trop exigeant envers vous-même. Être père, cela s'apprend au fil du temps

———————

Ne vous lamentez pas sur le manque de sommeil. Cette période ne durera pas.

———————

Ne croyez pas que les bébés sont l'affaire des femmes, les pères ont un grand rôle à jouer.

les deux dans l'organisation familiale. Si vous êtes fatigué, renoncez provisoirement aux sorties trop tardives et à certains de vos loisirs, mais faites du jogging ou des promenades en famille, à la campagne ou au parc. Dans la mesure du possible, adaptez votre emploi du temps professionnel ou prenez des congés pour participer à la vie familiale. De temps en temps, sortez seul avec l'enfant pour laisser la maman se reposer. C'est l'occasion idéale de le présenter aux voisins!

✳ Qu'est-ce qu'on mange ?

Le soir, quand vous rentrez du travail, vous devez parfois préparer le repas. Un bébé, c'est très prenant et ce n'est pas parce que votre femme est à la maison toute la journée qu'elle n'a rien à faire, bien au contraire ! Quand vous faites les courses et que vous cuisinez, sachez qu'elle a besoin de repas sains et équilibrés pour une bonne remise en forme.

Guide
pratique

DES EXERCICES ADAPTÉS

Programme de remise en forme

On dit qu'il faut se ménager pendant la grossesse. Le repos a son importance, mais il convient de rester active pour être en bonne condition physique.

Faut-il se reposer ?

Les changements qui interviennent au cours de la grossesse peuvent être éprouvants. Quant à l'accouchement lui-même, c'est l'une des épreuves physiques les plus exigeantes qui soient. Si vous êtes sportive, le travail et la délivrance vous sembleront moins difficiles. Néanmoins, le repos demeure essentiel. Restez à l'écoute de votre corps !

Les bienfaits de l'activité

Des exercices cardiovasculaires réguliers évitent de dépasser la prise de poids moyenne (10 à 12 kg) des femmes enceintes. Ils stimulent également certaines fonctions, comme la circulation sanguine et la digestion, mises à rude épreuve durant cette période. Des activités douces, natation ou yoga, par exemple, préviennent les problèmes d'articulations et de tendons. De plus, si vous entretenez votre condition physique pendant la grossesse, vous aurez moins de mal à retrouver la forme après la naissance du bébé.

Savoir s'adapter

Rien ne vous empêche d'être active. Vos habitudes de vie ne devraient pas changer de façon spectaculaire. Vous pouvez courir, danser, nager… En revanche, il faut faire preuve de prudence et limiter les risques de chute. Quand le corps vous dit d'arrêter ou de ralentir, n'insistez jamais. Si vous faites de la gymnastique, adaptez votre

20% Durant la grossesse, le rythme cardiaque est accru de 20%, comme pour un exercice d'aérobic modéré.

programme en optant pour des haltères plus légers, par exemple. Oubliez les sports de contact (karaté, judo) et toute discipline impliquant des chutes (équitation, ski). Si vous ne pratiquiez pas d'activité physique auparavant, rien ne vous empêche de vous lancer, en douceur. Parlez-en au préalable avec votre médecin.

Marchez, nagez, étirez-vous !

Les exercices cardiovasculaires (marche rapide ou natation) trois ou quatre fois par semaine font le plus grand bien. Vous aurez plus d'énergie et un meilleur sommeil. Il suffit de 30 minutes pour constater la différence. Vous pouvez nager pendant toute la grossesse. Dans l'eau, la sensation de légèreté permet de mieux vivre les changements de la silhouette. Le yoga et la méthode Pilates conviennent parfaitement à votre état, car ils allient relaxation et étirements, ainsi qu'un renforcement musculaire des zones les plus sollicitées. Il existe des cours spécifiques pour les femmes enceintes.

 # Oui

- Restez active, ne serait-ce qu'en marchant au moins 30 minutes presque tous les jours.
- Informez votre professeur de sport que vous êtes enceinte. Il vous proposera des variantes plus sûres.
- Apprenez à travailler votre périnée (voir p. 215).
- Inscrivez-vous à des cours de yoga, de Pilates ou d'aquagym adaptés aux femmes enceintes. Vous y rencontrerez d'autres futures mamans et travaillerez en toute sécurité.

 # Non

- N'arrêtez pas le sport. Il suffit de trouver des activités adaptées à votre état.
- N'oubliez pas d'être à l'écoute de votre corps. En cas de nausée ou de vertige, arrêtez-vous.
- N'en faites pas trop. Vous devrez sans doute ralentir le rythme. Laissez-vous guider par vos sensations.
- Ne faites pas d'efforts violents quand il fait très chaud et veillez à ne pas vous déshydrater.

DE BONS ABDOMINAUX sont essentiels, car ils soutiennent la colonne vertébrale et ils aident à maintenir une bonne posture.

Exercices du 1er trimestre

Ces exercices de tonus musculaire et d'étirements font travailler les muscles les plus sollicités dans la vie quotidienne. Au cours de la grossesse, ils doivent être renforcés : abdominaux, cuisses et fessiers.

1

DES ABDOMINAUX Inspirez, puis plaquez le bas du dos au sol en soufflant. Maintenez cette position 5 secondes, relâchez, puis recommencez huit fois.

2

DES ÉTIREMENTS Posez la main sur les orteils, inspirez et soufflez en vous penchant en avant pour étirer l'arrière de la jambe.

3

DES FENTES Debout, les pieds écartés de la largeur du bassin, faites un pas en avant, pliez les genoux en gardant le dos droit et remontez. Recommencez huit fois, puis changez de jambe.

4

LE PONT Soulevez les hanches du sol en serrant les fessiers. Ouvrez et refermez les genoux dix fois avant de reposer les hanches au sol.

RENFORCEMENT PLUS TONIQUE

SI VOS NAUSÉES du début de grossesse se sont apaisées, revenez à une activité physique plus régulière avec des exercices cardiovasculaires tels que marche et natation.

Exercices du 2ᵉ trimestre

Au 2ᵉ trimestre, vous bénéficiez d'un regain d'énergie. Ces exercices sont plus dynamiques, mais il est conseillé de ne pas travailler sur le dos après le 1ᵉʳ trimestre.

1

L'ANNEAU Inspirez. En soufflant, rentrez le ventre en gardant le dos droit, puis reprenez votre position initiale. Répétez vingt fois ce mouvement.

2

SUPERMAMAN Tendez le bras gauche et la jambe droite et tenez la position 5 secondes. Revenez, puis recommencez de l'autre côté. Faites deux séries de huit.

3

LE RENFORCEMENT MUSCULAIRE DES BRAS Inspirez et soulevez des haltères de 1 kg au-dessus de votre tête. Serrez les coudes, puis écartez-les. Inspirez et baissez les bras. Répétez ce mouvement seize fois.

4

LE RENFORCEMENT MUSCULAIRE DES JAMBES Levez et baissez la jambe du dessus trente fois, sans dépasser le niveau de la hanche, puis passez à l'autre côté. Au besoin, placez un coussin sous votre ventre.

Exercices du 3ᵉ trimestre

Les changements de la silhouette et la fatigue peuvent affecter la mobilité et l'équilibre. Surveillez votre posture et faites des exercices pour garder le dos souple et solide.

ÉTIREZ-VOUS COMME UN CHAT Votre dos est mis à forte contribution. Rien ne vaut quelques étirements quotidiens, qui stimulent également les abdominaux. Inspirez, puis soufflez en rentrant le ventre et en faisant le dos rond. Baissez la tête et détendez le cou. Tenez cette position 5 secondes tout en respirant calmement, sans bloquer les coudes. Soufflez en remettant le dos horizontal. Recommencez huit fois de suite.

POUR UNE BONNE POSTURE

Maintenir une posture correcte soulage les tensions du dos.

LES ÉPAULES Détendez-les et évitez de les voûter.

LE DOS Maintenez-le bien droit et ne cédez pas à la tentation de vous cambrer davantage.

LES HANCHES Debout, gardez les hanches dans l'alignement du bassin et les fesses rentrées.

LES GENOUX Ils doivent rester souples en position debout. Ne les croisez pas en position assise.

LES PIEDS Ils doivent être écartés dans le prolongement des hanches, bien à plat sur le sol, que vous soyez debout ou assise.

DES JAMBES MUSCLÉES
vous permettront de rester
mobile pendant toute la
grossesse, malgré la fatigue.

UNE FEMME SUR TROIS souffre de fuites urinaires
pendant ou après la grossesse. Quelques exercices
simples, que vous pouvez effectuer partout et à tout
moment, permettent de renforcer le périnée.

Ne négligez pas le périnée

Le périnée est un muscle qui
constitue le plancher du bassin.
Il soutient les organes génitaux et
la vessie. S'il est distendu au cours
de la grossesse, vous risquez
de souffrir de fuites urinaires et
d'une sensibilité réduite lors des
rapports sexuels. Un renforcement
musculaire de cette région prévient
ces désagréments.

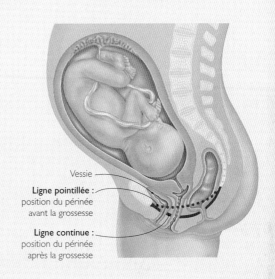

Vessie

Ligne pointillée :
position du périnée
avant la grossesse

Ligne continue :
position du périnée
après la grossesse

RENFORCEMENT DU PÉRINÉE Installez-vous
confortablement, assise, debout ou encore à
quatre pattes. Concentrez-vous sur les muscles qui
permettent de vous retenir d'uriner. Contractez-les pour
les faire remonter, puis relâchez. Ne bloquez pas le souffle
et ne crispez pas les fessiers, les cuisses ou
les abdominaux. Quand vous maîtriserez ce
mouvement, maintenez la contraction quelques
secondes et répétez-la quinze fois. Augmentez
le nombre de contractions chaque semaine
et poursuivez l'exercice après l'accouchement.

Le petit déjeuner

Chacun sait que le petit déjeuner est un repas important. C'est d'autant plus vrai pour les femmes enceintes. Au réveil, il faut reprendre des forces !

Si vous souffrez de nausées matinales, il est nécessaire de manger un peu pour les apaiser. Des fruits frais, du pain complet avec du miel ou de la confiture, des céréales avec un produit laitier, un thé ou un café léger : chacune choisit en fonction de ses envies. Si vous avez coutume de sauter le petit déjeuner, tentez de changer cette habitude.

De nombreuses céréales du commerce sont très riches en sucre. Vous pouvez opter pour un muesli fait maison.

• **Le muesli** consiste en un mélange de divers flocons (avoine, sarrasin, orge, maïs), de graines (sésame, lin brun, tournesol, pavot) et de fruits secs (raisins, cranberries, pruneaux, amandes, etc.). Pour une saveur plus intense, ajoutez-y une pincée de cannelle, des copeaux de chocolat, des zestes d'orange ou des morceaux de gingembre confit. Vous pouvez préparer ce mélange et le conserver plusieurs semaines au sec dans un bocal. Consommez-le avec du lait ou du yaourt. Si vous n'aimez pas le lait de vache, pensez aux laits végétaux, d'amande, de soja, de riz, qui sont très protéinés.

LES FIBRES favorisent l'absorption des nutriments et régulent la glycémie. Elles sont faciles à consommer au petit déjeuner sous forme de céréales ou de pain complet, à raison de 25 à 30 grammes par jour.

TROIS PRODUITS LAITIERS par jour apportent le calcium dont vous avez besoin.

Pancakes

POUR 6 PANCAKES ENVIRON

C'est idéal si vous avez peu d'appétit, car ils sont très digestes. Mélangez :

- **125 g de farine**
- **1 pincée de sel**
- **1 œuf**
- **30 cl de lait**

Faites-les cuire 4 minutes à la poêle en les retournant une fois. Servez avec du sirop d'érable ou de la confiture.

• **Les muffins** à la farine complète offrent un petit déjeuner consistant, surtout si vous y ajoutez fruits secs, noix ou fruits rouges.

• **Les œufs** sont parfaits le matin pour leurs protéines. Faites-les brouiller sans matière grasse et dégustez-les avec du pain aux céréales, riche en fibres.

• **Les tranches de pain complet** sont faciles à conserver au congélateur : passez-les au grille-pain et mangez-les avec du jambon ou du saumon.

• **Une salade de fruits** doit être préparée au dernier moment pour conserver ses vitamines. Elle donne de l'énergie

et, si vous ne pouvez rien avaler d'autre, n'oubliez pas d'y ajouter une banane.

• **Les smoothies** sont faciles à boire quand on a des nausées : mixez des fruits rouges, frais ou surgelés, et une banane avec 10 cl de lait ou un yaourt nature.

MANGER ÉQUILIBRÉ

Les repas principaux

Si la grossesse diminue votre appétit, ou si vous préférez manger plus léger, compensez en misant sur la variété et sur des aliments très nutritifs.

En planifiant vos repas, privilégiez la diversité afin que votre bébé profite au mieux de vos nutriments : respectez l'équilibre entre glucides, protéines et lipides. Consommez des légumes à chaque repas, frais, surgelés ou en boîte. Plus que jamais, pensez à manger cinq fruits et légumes par jour, de préférence trois légumes différents et deux fruits. N'oubliez pas de favoriser les plus riches en vitamine C (kiwi, fraises, orange, poivron rouge) et en beta-carotène (carotte, abricot, mangue, patate douce, persil), car ils stimulent le système immunitaire.

Si vous êtes fatiguée, inutile de vous mettre aux fourneaux chaque jour : une salade copieuse ou une soupe riche en légumineuses fera l'affaire pour un repas. Et au repas suivant, privilégiez les protéines. Pensez à consommer du calcium, lait, yaourts, fromages (voir p. 29).

En revanche, quand vous vous sentez en forme pour cuisiner, préparez des plats en grandes quantités et conservez des portions au congélateur pour les jours de fatigue : lasagnes, tagines, potages…

Poêlée d'asperges et de brocolis au gingembre

Ce plat facile à réaliser est riche en fer et permet de lutter contre les nausées. Aux asperges et aux brocolis, ajoutez une portion de protéines – poulet, dinde, bœuf ou tofu – pour varier les plaisirs, et du riz, de préférence complet, car il apporte davantage de fibres et de nutriments.

POUR 2 PERSONNES

- 1 c. à c. d'huile végétale
- 1 piment rouge épépiné et ciselé
- 2,5 cm de gingembre frais coupé en lamelles
- ½ botte de ciboules en tronçons de 5 cm
- 1 gousse d'ail hachée
- ½ poivron rouge épépiné et émincé
- 150 g de brocolis en bouquets
- ½ botte de pointes d'asperges coupées en deux
- 1 c. à c. de sucre
- Sel et poivre du moulin
- ½ poignée de menthe fraîche ciselée

1. Faites chauffer l'huile dans un wok ou une poêle et faites revenir le piment et le gingembre 30 secondes.

2. Ajoutez les ciboules et l'ail. Faites blondir en remuant pendant 5 minutes. Incorporez le poivron rouge et poursuivez la cuisson quelques minutes.

3. Ajoutez les brocolis puis, quelques minutes plus tard, les pointes d'asperge. Au bout de 1 ou 2 minutes, saupoudrez de sucre et assaisonnez. Laissez dissoudre le sucre et ajoutez la menthe.

MANGER ÉQUILIBRÉ

 ## Des collations saines

Vous supporterez mieux les nausées en mangeant peu et souvent. Ainsi, vous sentirez moins la faim et ne manquerez jamais d'énergie. Régulez votre glycémie avec des aliments riches en protéines.

• Des crudités à croquer : carottes, poivrons, concombres, céleri, sans oublier les pois mange-tout.

• De l'houmous, du guacamole et une sauce piquante dans lesquels vous tremperez du pain pita, des bâtonnets de carottes, ou d'autres crudités.

• Des biscuits aux flocons d'avoine et aux fruits secs, sources d'énergie.

• Une salade de fruits maison à base d'ingrédients frais, accompagnée d'un yaourt, source de protéines.

• Un sandwich ou une tranche de pain complet garnis de fromage frais, de saumon fumé et d'un peu de roquette, par exemple.

• Une poignée de fruits secs (pruneaux, amandes, bananes…), sources de protéines et de fibres.

• Un carré de chocolat noir à 70% de cacao, nutritif et source d'énergie.

CONSEIL

UN VERRE DE LAIT CHAUD
au coucher peut favoriser
l'endormissement et éviter
les fringales nocturnes.

70% LE CHOCOLAT NOIR
À 70% DE CACAO
EST BON POUR
LE MORAL.

Biscuits au gingembre

POUR 35 BISCUITS ENVIRON

• 225 g de beurre à température ambiante
• 175 g de sucre roux
• 1 c. à s. de sirop de gingembre
• 1 gros œuf
• 350 g de farine avec levure
• 1 c. à s. de gingembre moulu
• 3 morceaux de gingembre confit
  hachés finement.

1. Préchauffez le four à 190 °C. Tapissez
   deux plaques de cuisson de papier
   sulfurisé. Dans un saladier, mélangez le
   beurre, le sucre et le sirop jusqu'à
   l'obtention d'une consistance crémeuse.

2. Incorporez l'œuf, la farine et les deux
   gingembres. Formez une pâte souple.

3. Façonnez environ 35 boulettes de la taille
   d'une noix, posez-les sur les plaques
   en les écrasant légèrement. Enfournez-les
   et faites-les dorer 12 à 15 minutes. Laissez
   refroidir les biscuits sur une grille.

Petit en-cas
Emportez des fruits secs,
des fruits frais ou des crudités
sur votre lieu de travail.
Ne vous contentez pas de
biscuits ! Si vous avez un long
trajet à parcourir, prévoyez
des amandes, par exemple,
ainsi qu'une bouteille d'eau.

Que choisir au restaurant ?

MANGER EN TOUTE SÉCURITÉ

Profitez de vos sorties

Une sortie au restaurant est parfois compliquée pour une femme enceinte. Voici quelques conseils sur les aliments à privilégier et les mets à éviter au moins pendant quelque temps.

Les plats principaux

✔ Mangez du saumon fumé ;

✔ les coquillages et crustacés, à condition qu'ils soient cuits ,

✔ le thon, avec modération, car il contient du mercure : pas plus de deux tranches ou quatre petites boîtes au naturel par semaine.

✘ Évitez requin, espadon et marlin, qui contiennent trop de mercure ;

✘ le foie, qui contient de la vitamine A, et les charcuteries si vous n'avez pas eu la toxoplasmose ;

✘ la viande saignante ;

✘ les sauces à base d'œuf cru, mayonnaise, béarnaise, sauce hollandaise.

Le plateau de fromages

✔ Mangez les fromages à pâte dure : emmental, gouda, gruyère, édam, parmesan ;

✔ les fromages à pâte persillée (bleus) à condition qu'ils soient pasteurisés ;

✔ la mozzarella, la feta, la ricotta, le fromage frais, à condition qu'ils soient pasteurisés ;

✔ le chèvre, à éviter s'il est cru, peut se consommer cuit (en tarte, en pizza ou sur des toasts par exemple).

✘ Évitez les fromages à pâte molle ou affinée : brie, camembert, chèvre, gorgonzola, roquefort.

ET LA CAFÉINE ?

Si vous êtes enceinte, vous pouvez boire une tasse de café ou de thé de temps en temps, sans dépasser 200 mg de caféine par jour. Certains gobelets de grande taille en contiennent plus de 300 mg, soyez vigilante. N'oubliez pas que d'autres boissons contiennent de la caféine (voir ci-contre).

Le taux de caféine

1 café filtre : 180 mg

1 boisson énergisante : 80 mg

1 cappuccino de 12 cl : 75 mg

1 tasse de thé : 75 mg

1 chocolat chaud : 70 mg

1 canette de cola : 40 mg

Les desserts

✔ Mangez les crèmes et flans cuits contenant de la crème pasteurisée ;
✔ les fruits frais, lavés et pelés ;
✔ les crèmes glacées à l'italienne ;
✔ le fromage blanc au miel ;
✔ la meringue croustillante, tolérée, car le blanc d'œuf est cuit.

✘ Évitez les glaces, mousses, tiramisu, gâteaux meringués maison, car ils contiennent de l'œuf cru ;
✘ les cheesecakes non cuits à base d'œufs crus.
Toutes les pâtisseries contenant de l'œuf doivent être bien cuites.

Et l'alcool ?

Si vous avez coutume de boire de l'alcool régulièrement, n'oubliez pas qu'il est déconseillé pendant toute la grossesse. Une consommation régulière peut avoir des effets nocifs sur le fœtus, notamment donner un nouveau-né de faible poids.

LES SUSHIS

Il est préférable de ne pas consommer de poisson cru pendant la grossesse.
Au restaurant japonais, optez pour des makis à base de concombre, des rouleaux à l'avocat ou des brochettes de viande bien cuites.

L'ACCOUCHEMENT ASSISTÉ

Des mesures parfois nécessaires

Un accouchement sur huit environ nécessite une intervention médicale. Si votre bébé est mal positionné, si son rythme cardiaque suscite quelque inquiétude ou si vous êtes épuisée, il faut aider un peu la nature. Le médecin a alors recours à une extraction instrumentale. Qu'est-ce que c'est ?

Les différentes options

Si le bébé peine à sortir, pour diverses raisons, le médecin peut utiliser des instruments, forceps ou ventouse obstétricale, qui permettent de guider doucement la tête du bébé pour l'extraire. L'intervention se pratique sous anesthésie locale.

Les forceps

Il s'agit d'une pince aux extrémités en forme de cuillères qui épousent la tête de l'enfant afin que le médecin puisse le retourner délicatement pendant vos poussées. Très efficace, ce procédé nécessite parfois d'effectuer une épisiotomie (incision du périnée), pour éviter une déchirure aléatoire. Le muscle est réparé ensuite par quelques points de suture. Parfois, les forceps laissent des marques sur la tête du bébé, qui disparaissent rapidement.

La ventouse obstétricale

Elle a la forme d'un petit bol en plastique flexible, relié par un tube à un appareil de succion. Elle est appliquée au sommet de la tête de l'enfant. Il suffit de profiter de la force d'une contraction pour guider le bébé vers l'extérieur. L'appareil

Dès qu'il est dans vos bras, vous savez que le plus important reste de l'avoir mis au monde en toute sécurité.

laisse parfois une bosse sur le crâne, qui disparaît 24 à 48 heures plus tard. Cette méthode aide le bébé à se retourner naturellement à mesure qu'il descend dans le bassin, quand la tête n'est pas encore apparue.

Peut-on éviter un accouchement avec assistance instrumentale ?

Cette solution est toujours envisagée en dernier recours par le médecin. Quand elle est adoptée, elle ne peut être remise en cause, car elle assure une sécurité optimale à l'enfant lorsqu'un imprévu survient. Vous pouvez seulement prévenir certaines situations en restant active le plus longtemps possible pour permettre la bonne progression du travail, en pratiquant vos exercices de respiration pour rester calme et en favorisant la descente par des positions plus efficaces.

Une aide en douceur

Aujourd'hui, ces méthodes sont bien maîtrisées et très douces, elles n'ont plus rien à voir avec les extractions forcées que l'on pratiquait dans le passé. Si vous avez subi une extraction assistée, sachez qu'il y a 80 % de chances que vous n'en ayez pas besoin lors d'un prochain accouchement.

La prise en charge de la douleur

QUELLES SONT LES POSSIBILITÉS ?

Des méthodes naturelles ou médicales

Au cours du travail, votre corps produit naturellement des endorphines, qui luttent contre la douleur. Elles atteignent la même intensité que celles que sécrète un athlète masculin en plein effort, mais ne suppriment pas toutes les sensations douloureuses. Vous aurez donc besoin d'un coup de pouce. En prenant connaissance des possibilités, vous serez mieux préparée le moment venu.

Les méthodes naturelles

Il existe de nombreuses solutions naturelles pour gérer la douleur sans effets secondaires.

• Un bain chaud est à la fois apaisant et bienfaisant. Dans l'eau, vos mouvements sont plus libres et soulagent la pression exercée sur le dos et le bassin, tandis que la chaleur détend les muscles et soulage les tensions (voir p. 168-169).

• Un massage énergique du dos permet de stimuler la sécrétion d'endorphines, qui soulagent la douleur. Toutefois, le jour venu, vous aurez peut-être du mal à supporter le moindre contact.

• La respiration courte et rapide est une réaction naturelle aux contractions. Elle apporte de l'oxygène à l'utérus et favorise la sécrétion d'ocytocine. Respirer profondément entre les contractions permet de rester concentrée et de garder de l'énergie pour les poussées. En vous détendant, vous aidez les muscles sollicités à mieux fonctionner.

• L'autohypnose et la sophrologie associent la respiration à des pensées positives et à des images de visualisation pour vous permettre d'accompagner sereinement la montée des contractions. Certaines études démontrent que ces méthodes sont susceptibles de raccourcir la durée du travail, de limiter les interventions médicales et d'apporter une meilleure expérience de l'accouchement.

Procurez-vous une bouillotte de gel : réchauffée au micro-ondes et appliquée sur le corps, elle détend les muscles.

Les antalgiques

L'accouchement n'est pas une compétition. Il existe des moyens médicaux de le rendre plus facile à supporter. Si vous ne voulez pas souffrir ou si vous craignez, le moment venu, d'en avoir besoin, parlez-en à votre médecin.

• La péridurale est la méthode la plus répandue en France. Elle supprime les douleurs grâce à une anesthésie locorégionale, qui agit sur les nerfs partant de la moelle épinière et endort le bas du corps. Elle peut ralentir le processus, de sorte qu'elle n'est plus possible au-delà d'un certain stade du travail.

• Le Nubain® est un dérivé morphinique qui se donne par injection et fait effet quelques heures.

• La PCA (Patient Controlled Analgesia) est une pompe à morphine reliée à une aiguille sous-cutanée. Avec ce système, les femmes appuient elles-mêmes sur un bouton qui déclenche l'injection d'une dose quand elles en sentent le besoin.

• Les gaz analgésiques, tel que le protoxyde d'azote, sont très peu utilisés en France.

Les complications de la grossesse

La plupart des désagréments de la grossesse sont bénins et disparaissent après l'accouchement. Mais, parfois, surviennent des problèmes nécessitant intervention ou surveillance médicale. En voici quelques-uns avec leurs symptômes et traitements. Toute grossesse à risque fait l'objet d'une grande surveillance médicale, de sorte que vous serez, quoi qu'il arrive, entre de bonnes mains.

L'anémie ferriprive

C'est une diminution du taux d'hémoglobine dans le sang, due au manque de fer, lié au fait que le fœtus utilise le fer de sa mère pour fabriquer ses globules rouges. Les symptômes sont l'épuisement et une grande pâleur. Elle affecte une femme sur trois au 3e trimestre de grossesse, c'est pourquoi un apport en fer est souvent prescrit.

Le syndrome du canal carpien

La rétention d'eau dans les poignets peut provoquer une compression des nerfs qui entraîne des fourmillements et des douleurs dans les doigts. Lorsqu'il est intense, des injections de stéroïdes peuvent être envisagées.

La varicelle

En France, 95 % des adultes sont immunisés parce qu'ils ont contracté la maladie dans leur enfance. Si ce n'est pas votre cas, le médecin vous proposera une injection d'anticorps, suivie d'une surveillance échographique. L'infection de la mère au cours de la grossesse présente des risques pour l'enfant, plus importants

Évitez le contact avec des personnes qui présentent une maladie infectieuse.

après la 24ᵉ semaine (atteintes cérébrales, retard de croissance, etc.).

La thrombose veineuse (phlébite)

La grossesse est une période propice à la formation de caillots sanguins dans les artères ou les veines. Les symptômes sont des douleurs, un œdème et une chaleur de la jambe. Si vous présentez un risque, la prévention repose sur l'activité physique, le port de bas de contention et la prise d'anticoagulants.

La grossesse extra-utérine

L'œuf fécondé s'implante dans la trompe de Fallope, en dehors de la cavité utérine, où il ne peut se développer. Les symptômes apparaissent vers la 6ᵉ semaine, on compte des douleurs aigües dans le bas-ventre et des saignements vaginaux. La rupture de la trompe est très dangereuse et nécessite une intervention chirurgicale en urgence.

L'hypertension

Elle est fréquente chez les femmes enceintes, surtout à partir de la 20ᵉ semaine. C'est un symptôme de la prééclampsie (voir p. 232) et elle peut être facteur de problèmes de croissance et de naissance prématurée. De l'aspirine à petite dose et du calcium sont parfois prescrits.

Le fibrome

Il s'agit d'une excroissance bénigne sur la paroi utérine dont la taille varie de celle d'un petit pois à celle d'un gros melon. Le fibrome s'atrophie généralement après l'accouchement, mais il fait l'objet d'une surveillance durant toute la grossesse, car il peut provoquer une fausse-couche ou une naissance prématurée.

Le diabète gestationnel

En cas de production insuffisante d'insuline par rapport aux besoins accrus de la grossesse, le taux de sucre dans le sang augmente. Cela se produit en général à partir de la 24e semaine, avec un risque de déclenchement prématuré du travail, de diabète et de syndrome métabolique chez la mère, sans oublier les accidents de naissance liés à la taille de l'enfant. Les traitements reposent sur une alimentation saine, des exercices et, au besoin, des injections d'insuline.

L'hyperémèse gravidique

Cette forme sévère de vomissements matinaux affecte moins de 1 % des femmes enceintes. Elle se caractérise par des vomissements qui durent pendant des semaines. Ils provoquent une déshydratation et parfois des problèmes hépatiques. Le problème cesse entre 16 et 20 semaines de grossesse. Du repos, des repas légers et fréquents sont préconisés, parfois un traitement antiémétique.

La listériose

Elle est due à la listeria, une bactérie présente dans certains aliments comme les fromages à pâte crue, les charcuteries et, plus généralement, les aliments peu cuits. Elle peut

Dans la majorité des cas, les examens révèlent que la mère et l'enfant se portent bien.

provoquer une fausse-couche tardive. Veillez à bien cuire viandes et poissons, et évitez certains fromages et charcuteries (voir p. 29 et 222).

La fausse-couche

Elle se produit dans 15 % des grossesses. Après 12 semaines, elle est plus rare et n'affecte que 1 à 2 % des femmes enceintes. Le risque augmente avec l'âge. Si vous constatez des saignements vaginaux, il existe plusieurs explications possibles. Consultez votre médecin.

La cholestase

Vous ressentez de terribles démangeaisons dans les paumes de main et sous les pieds, surtout la nuit ? Ces symptômes sont susceptibles de traduire un problème hépatique qui provoque une accumulation de bile : consultez imédiatement votre médecin. Ce problème touche moins de 1 % des femmes enceintes après 28 semaines, mais il peut provoquer un accouchement prématuré et des saignements.

Le parvovirus B19

Similaires à ceux de la rubéole, les symptômes du parvovirus B19 peuvent passer inaperçus. Ce virus peut provoquer une fausse-couche tardive, mais l'enfant naît en bonne santé dans la grande majorité des cas.

Répertoire médical

COMPLICATIONS DE LA GROSSESSE

Le placenta prævia

C'est une anomalie d'insertion du placenta, placé trop bas dans l'utérus. La plupart du temps, le placenta reprend sa place vers la 32e semaine. Parfois, il bloque le col et ne permet pas l'accouchement par les voies naturelles. Cette anomalie est détectée à la deuxième échographie.

La prééclampsie

État pathologique qui se caractérise par une hypertension artérielle, la présence de protéines dans les urines et des œdèmes. Sa forme sévère nécessite un traitement immédiat. Si vous constatez plusieurs de ces troubles, consultez : saignements très rouges et indolores, violentes céphalées, troubles de la vision, vomissements, brûlures d'estomac, douleurs intercostales, essoufflement, gonflement soudain des mains, des pieds et du visage. Le repos est souvent indiqué. Dans les formes sévères, on proposera une césarienne, parfois avant le terme.

La rubéole

Si la future maman contracte la maladie avant la 12e semaine de grossesse, l'enfant risque de souffrir de cataracte, de surdité ou d'insuffisance cardiaque et cérébrale. Il est donc préférable d'être à jour dans ses rappels de vaccin rougeole-oreillons-rubéole (ROR), car vous ne pouvez pas vous faire vacciner pendant la grossesse.

La mort fœtale

Avant 20 semaines de grossesse, on la considère comme une fausse-couche, mais la perte d'un fœtus est toujours un traumatisme, même quand elle se produit très tôt. On ignore s'il s'agit d'une anomalie congénitale. 50 % se produisent sans signes avant-coureurs.

*Les rhinites
ne constituent
pas un danger,
mais en cas de
grippe, consultez
le médecin !*

L'incontinence

Les femmes ayant accouché par les voies naturelles sont parfois sujettes à des fuites urinaires provoquées par un étirement de l'urètre lors du passage de la tête du bébé. Des exercices de renforcement du périnée peuvent y remédier.

La symphyse pubienne

Des douleurs dans le bas-ventre peuvent indiquer une tendinite de la symphyse pubienne, c'est-à-dire une distension des ligaments d'origine hormonale. Les symptômes surviennent à partir de la 12ᵉ semaine et évoquent des spasmes musculaires. Une ceinture abdominale et des séances de kinésithérapie soulagent les douleurs.

Une candidose

Cette mycose, provoquant pertes et démangeaisons, est courante pendant la grossesse, période qui restreint les traitements antifongiques. Portez des sous-vêtements amples, en coton, et évitez les savons et gels douche parfumés.

La toxoplasmose

Cette maladie parasitaire rare se transmet par les selles animales et la terre. Elle peut provoquer une fausse-couche et des problèmes neurologiques au 1ᵉʳ trimestre. Si vous n'êtes pas immunisée, portez des gants pour jardiner et ne changez pas la litière du chat.

LES CONGÉS DE MATERNITÉ ET DE PATERNITÉ

Dans le monde entier, à l'exception de quatre pays, des congés sont accordés aux parents qui travaillent pour accueillir leur nouveau-né.

LES CONGÉS DE MATERNITÉ ET DE PATERNITÉ
permettent aux jeunes parents de s'occuper de leur nouveau-né et de tisser des liens avec lui.

QUATRE PAYS
au monde ne disposent pas de loi imposant des congés aux jeunes parents : Papouasie-Nouvelle-Guinée, Libéria, Swaziland et États-Unis

EN ESTONIE,
un jeune père doit attendre 3 mois après la naissance de son enfant pour avoir droit à un congé. Les deux parents ne peuvent s'arrêter en même temps, de sorte que si le papa choisit de rester à la maison, la maman doit reprendre le travail.

EN GRÈCE,
un jeune père n'a droit qu'à 2 jours de congé de paternité.

EN NORVÈGE,

les congés parentaux
existent, dont 10 semaines
pour le père, qui ne peut les
céder à la maman. En 2008,
90 % des jeunes pères
ont pris leur congé
de paternité.

AU ROYAUME-UNI,

une jeune maman bénéficie
de 52 semaines de congé de maternité,
dont 39 actuellement sont rémunérées.
Un jeune papa peut aussi prendre 2 semaines.
De nombreux couples choisissent celui
qui va rester à la maison en fonction
des revenus de l'un et de l'autre.
Seul un papa sur sept
est père au foyer.

EN FRANCE,

le congé de paternité
et d'accueil de l'enfant,
de 11 jours calendaires,
peut succéder au congé de
naissance de 3 jours ou être
pris séparément.

EN RÉPUBLIQUE TCHÈQUE
ET EN SLOVAQUIE,

une jeune maman peut choisir de
rester à la maison jusqu'à trois ans
après chaque naissance.
En revanche, les papas
n'ont pas coutume
de s'arrêter.

EN SUÈDE

les parents ont droit
à 16 mois de congé parental
par enfant, en touchant 80 % de
leur salaire. Le coût est réparti
entre l'employeur
et l'État.

Ressources utiles

SITES INTERNET ET ASSOCIATIONS

La grossesse

infobebes.com
Site du magazine *Parents*.
Des dossiers clairs et complets
sur la nutrition, la beauté, la santé
des femmes enceintes ainsi que sur
les complications de la grossesse.

enfant.com
Site du magazine *Enfant*.
Tous les sujets qui vous préoccupent
sous forme de questions-réponses,
avec des vidéos.

neufmois.fr
Site d'information sur la grossesse
mis en ligne par le magazine
Neuf Mois. Il propose entre autres
des tests et des quiz, un calcul
de la date d'accouchement et une
inscription possible pour un suivi
personnalisé de la grossesse,
qui informe semaine par semaine
de l'évolution et des démarches
à effectuer.

famili.fr
Site du magazine *Famili*. Le thème
de la grossesse est largement traité
sous tous ses aspects, y compris
selon des points de vue connexes,
tels que la mode de la future maman,
les relations mère-fille (entre la future
maman et sa propre mère),
se marier enceinte, etc.

enceinte.com
le site des futures mamans
Site de la conception aux premiers
soins du bébé avec de nombreux
articles, mais aussi diverses vidéos pour
vous aider à bien vivre votre grossesse
grâce à la sophrologie et au yoga
(exercices de respiration pour aider
l'accouchement, basés sur le yoga,
le shiatsu et le do-in, conseils pour
apprendre à s'endormir et à faire
une vraie sieste relaxante…)

doctissimo.fr/html/grossesse
Toutes les questions que se pose
une femme enceinte sur la grossesse
du point de vue médical, administratif
et psychologique : grossesse mois
par mois, semaine après semaine, date
d'ovulation, congé de maternité, etc.

aufeminin.com/info-grossesse
Tout de la conception à la période
post-accouchement (suivi et calendrier
de grossesse, vidéos sur les
échographies, liste des maternités
en fonction de votre région, choix
de prénoms, aides de la CAF, etc.).

gyneweb.fr, l'auxiliaire de votre gynécologue

Site édité par Doctissimo, des dossiers, des interviews et des articles de spécialistes, sur l'aspect médical, pharmacologique, psychologique (baby blues, dépression, vécu de la douleur, bonheur d'être mère…), mais aussi sur la politique de santé publique. L'inscription est obligatoire pour avoir accès au site, mais gratuite.

sosprema.com/antennes-locales/carte-de-france/

SOS Préma donne des informations aux familles qui viennent d'avoir des prématurés. Le site donne la liste des antennes dans toute la France. Le siège de l'association se trouve à La Maison des associations, 2 bis, rue du Château, 92200 Neuilly-sur-Seine.

jumeauxetplus.fr

L'association a une volonté d'entraide et d'information pour les parents de naissance multiple. Fédération Jumeaux et plus
28, place Saint-Georges, 75009 Paris
Tél. 01 44 53 06 03

ciane.net

Le CIANE (Collectif interassociatif autour de la naissance) est constitué d'associations concernées par les questions relatives à la grossesse, à la naissance et aux premiers jours de la vie. Il est agréé pour la représentation des usagers dans le système de santé. Le site propose des dossiers sur les maisons de naissance, les maternités de proximité, le déclenchement artificiel du travail, l'épisiotomie, l'hémorragie post-partum, etc.

caf.fr

Le site de la CAF (Caisse d'allocations familiales) vous aidera à connaître vos droits selon votre situation si vous attendez ou si vous venez d'avoir un enfant.

mon-enfant.fr

Ce site a été mis en ligne par la CAF pour découvrir les différents modes de garde, les structures d'accueil, les assistantes maternelles et les gardes à domicile. Vous y trouverez des conseils sur la réglementation du travail, l'établissement d'un contrat de travail avec la nourrice, les organismes où s'adresser pour déclarer les salaires, etc. Des adresses sont données en fonction de votre lieu d'habitation.

ameli.fr

Le site de la Sécurité sociale informe sur les démarches à effectuer quand on est enceinte, sur les droits, sur les praticiens et les maternités.

Ressources utiles

SUITE

La préparation à l'accouchement

sante-medecine.net

Le site évoque les techniques suivantes : le yoga, la sophrologie, l'haptonomie, la préparation en piscine, le chant prénatal, etc.

chantprenatal.com

Le site de cette association informe sur la technique de chant prénatal dont la vocation est multiple : améliorer le bien-être pendant la grossesse, développer une relation avec l'enfant à naître, accompagner l'accouchement. Il donne les adresses en France pour participer à des ateliers.

projetdenaissance.com/article-accoucher-avec-l-auto-hypnose

Accoucher avec l'autohypnose ou l'hypnonatal

centre international de recherche et de développement de l'haptonomie (CIRDH)

Frans Veldman, Mas del Ore, Oms, 66400 Céret.

centre de préparation à la naissance

13, rue de Trétaigne, 75018 Paris
Tél. : 01 46 06 40 01

Fédération nationale des enseignements du yoga

Pour obtenir des informations sur les cours de yoga prénatal, adressez-vous
3, rue Aubriot, 75004 Paris
Tél. : 01 42 78 03 05

La naissance aquatique

accouchement-dans-leau.com

Site de l'AFNA, l'association française de naissance aquatique. Il donne la liste des maternités et centres hospitaliers qui offrent cette possibilité en France et montre des vidéos sur le déroulement d'une naissance aquatique.

babycenter.fr

Le site de babycenter propose un dossier sur les avantages et les inconvénients du travail et de la naissance dans l'eau.

L'alimentation au biberon ou au sein

123boutchou.com

Le site offre des fiches pratiques sur la meilleure façon de nourrir son bébé au biberon : quand le donner, comment le préparer, quels types de lait et quelle eau choisir, le lait doit-il être froid ou chaud, comment stériliser les biberons, ainsi que des fiches santé sur les coliques du nourrisson, la constipation, les régurgitations, etc. Une mine d'informations !

infor-allaitement.be

Site belge qui donne des conseils aux jeunes mamans pour les aider dans leurs difficultés à allaiter. Une page de vrai/faux autour des idées reçues sur l'allaitement.

santé-médecine.net

Tous les trucs à connaître pour allaiter, tous les problèmes rencontrés avec des solutions, le sevrage, etc. sont exposés sur ce site.

Les futurs pères et les jeunes pères

jeunepapa.com

Le site aborde des sujets tels que les craintes des futurs pères, la sexualité pendant la grossesse, la relation au bébé *in utero,* l'accouchement, la paternité, la relation de couple, etc. pour devenir un père responsable.

naître et grandir.com

Des pages spéciales pour les futurs et jeunes papas avec dix questions essentielles qu'ils se posent souvent sur leurs capacités à aider leur conjointe dans l'aventure de la grossesse et de l'accouchement, à assumer leur paternité, à accepter le changement que représente avoir un enfant.

enfant.com/papa

Informations et conseils pour les pères, afin qu'ils comprennent mieux leur femme enceinte, l'accouchement et le bébé.

babyfrance.com

Le site propose un article sur la couvade, destiné aux hommes qui développent leurs propres symptômes de grossesse.

Glossaire

LE VOCABULAIRE OBSTÉTRICAL

Quand on attend son premier enfant, il faut se familiariser avec un nouveau vocabulaire, parfois déroutant et inquiétant. Ce glossaire vous permettra de mieux saisir les termes spécifiques de ce domaine médical.

Albumine : protéine sanguine, qui, lorsqu'elle est présente dans les urines, peut être signe de prééclampsie.

Alvéole : minuscule poche d'air située à l'extrémité des bronchioles du bébé, qui permet le passage de l'oxygène et du gaz carbonique après la naissance.

Amniocentèse : examen permettant de dépister d'éventuelles anomalies génétiques du fœtus. Un échantillon de liquide amniotique est prélevé à l'aide d'une aiguille et analysé. Il s'agit d'une intervention délicate, qui va bientôt être remplacée par une prise de sang.

Amnios : membrane protectrice entourant la poche des eaux.

Angiome stellaire : petite lésion vasculaire bénigne en forme d'étoile

provoquée par l'afflux sanguin vers la peau. Elle sert à évacuer la chaleur excessive générée par l'organisme.

Apgar (test d') : cet examen permet d'évaluer l'état de santé d'un enfant qui vient de naître en observant cinq critères : ses battements cardiaques, sa respiration, sa coloration, son tonus musculaire et sa réactivité à la stimulation. Le bébé obtient un score de 0, 1 ou 2 pour chaque élément, et au final une note sur dix.

Aréole : zone rose ou brune qui entoure le mamelon et s'assombrit au cours de la grossesse. Elle possède des conduits qui acheminent le lait.

Blastocyste : amas de cellules issues de l'œuf fécondé, qui s'implante dans la paroi de l'utérus. Les cellules

Si vous rencontrez des termes qui ne sont pas expliqués ici, n'hésitez pas à interroger votre médecin.

se développent pour constituer les différentes parties de l'embryon et le placenta.

Braxton Hicks (contractions de) : contractions produites par l'utérus, qui s'exerce à se contracter dès le 2e trimestre. Ces contractions tiennent leur nom du Dr Braxton Hicks, qui fut le premier à les décrire en 1872. Elles peuvent être déroutantes, mais finissent par s'arrêter.

Position céphalique : position tête en bas que prend l'enfant avant la naissance. C'est la position idéale pour naître.

Césarienne : incision de l'abdomen pratiquée par l'obstétricien pour extraire l'enfant quand la situation ne lui permet pas de naître par les voies naturelles. Elle peut être programmée ou décidée dans l'urgence.

Chorion : membrane externe qui entoure l'embryon. De minuscules languettes en surgissent et s'enracinent dans la muqueuse utérine pour se raccorder au flux sanguin maternel.

Chromosomes : structures cellulaires recelant les gènes.

Circadien (rythme) : horloge interne qui régule le rythme cardiaque, la respiration, la température corporelle et les taux d'hormones sur une durée de 24 heures. Le rythme circadien se régule peu à peu afin que l'enfant fasse la distinction entre les activités diurnes et nocturnes.

Col de l'utérus : partie inférieure de l'utérus, qui s'étend jusqu'au vagin. Pendant la grossesse, il est fermé par une membrane pour que le fœtus soit protégé des infections. À mesure que l'accouchement approche, il s'ouvre peu à peu pour laisser passer la tête de l'enfant.

Colostrum : substance jaune et épaisse, sécrétée par les seins, parfois pendant la grossesse, et surtout après l'accouchement et dans les jours qui

suivent, avant la montée de lait. Il offre au bébé, dès le début de sa vie, une alimentation riche en nutriments et lui transmet les anticorps maternels.

Corps jaune : glande qui se développe dans l'ovaire après l'ovulation. Quand l'œuf est fécondé, le corps jaune produit de la progestérone pour maintenir l'embryon implanté jusqu'à ce que le placenta prenne le relais, puis il disparaît.

Débit cardiaque : quantité de sang pompée par le cœur à chaque pulsation. Ce débit augmente pendant la grossesse.

Déchirure (du périnée) : rupture des tissus au moment du passage de la tête du bébé. Légère, la déchirure cicatrise d'elle-même. Si elle s'étend jusqu'au muscle, elle nécessite des points de suture. Le médecin peut la prévenir en réalisant une épisiotomie, qui se recoud plus facilement et cicatrise plus vite.

Dilatation : ouverture progressive du col de l'utérus au cours de la phase de latence du travail. Une sage-femme vérifie régulièrement la dilatation du col. À 10 centimètres, le bébé commence à descendre le long de la filière pelvienne, moment à partir duquel il est possible de pousser.

Doppler fœtal : dispositif permettant d'écouter les battements cardiaques ou la circulation sanguine du bébé grâce à des ultrasons.

Échographie : technique d'imagerie par ultrasons couramment utilisée en médecine. Elle permet de voir le bébé *in utero*. L'échographiste passe une sonde sur le ventre de la femme enceinte et les ultrasons permettent de visualiser le fœtus sur un écran, de déterminer le terme et de dépister d'éventuelles anomalies.

Échographiste : manipulateur chargé des échographies, qui peuvent aussi être réalisées par votre obstétricien.

Environ 80 % des enfants viennent au monde avec une marque de naissance.

Engagement : position du bébé lorsqu'il est descendu et que les 2/5 de sa tête sont en place à l'intérieur du bassin. On dit qu'il est engagé.

Engorgement : état des seins qui contiennent trop de lait. Ils deviennent durs, rouges et chauds, et donnent l'impression qu'ils vont exploser. Cela se produit généralement entre le 2e et le 6e jour suivant l'accouchement. L'allaitement procure un soulagement immédiat.

Épisiotomie : incision pratiquée dans le périnée et la paroi vaginale au cours de l'accouchement pour accorder plus d'espace au passage du bébé. Elle nécessite la pose de points de suture.

Filière pelvienne : passage, encore appelé vagin, partant du col de l'utérus, qui permet à l'enfant de venir au monde.

Fontanelle : espace situé entre les trois os du crâne, là où ils se rejoignent. Il permet aux os du fœtus de se chevaucher pendant l'accouchement, au moment du passage dans la filière pelvienne.

Gravidique : relatif à la grossesse.

HPL (Hormone placentaire lactogène) : hormone similaire à l'hormone de croissance, qui modifie le métabolisme de la femme enceinte pour préparer la formation du lait.

Lanugo : fin duvet qui recouvre le corps du bébé à partir de la 20e semaine de grossesse. Il tombe dans le liquide amniotique avant le terme.

Linea nigra : ligne sombre qui apparaît parfois du pubis au nombril des femmes enceintes à cause de l'augmentation des cellules pigmentaires.

Liquide amniotique : liquide jaune clair contenu dans la poche qui entoure le fœtus. Il le protège, l'hydrate et le maintient à la bonne température.

Lochies : pertes vaginales qui surviennent dans les jours qui suivent

l'accouchement. Elles sont constituées de sang et de débris placentaires.

Masque de naissance ou chloasma : taches sombres et irrégulières, qui naissent sur les joues, le front, le nez et le menton, et qui foncent au soleil.

Méconium : premières selles sombres et verdâtres du nouveau-né.

Montgomery (tubercules de) : glandes sébacées présentes autour de l'aréole sous la forme de petites bulles blanches. Elles produisent une graisse antibactérienne, qui maintient la peau propre et lisse pour l'allaitement.

Mouvements fœtaux : mouvements que produit le fœtus *in utero*, perçus dès 20 semaines de grossesse environ.

Ocytocine : hormone qui déclenche les contractions de l'utérus au début du travail. Quand le terme est dépassé, on administre sa version de synthèse pour déclencher l'accouchement.

Œdème : rétention de liquide dans les tissus qui entraîne un gonflement. Il est l'un des symptômes de la prééclampsie.

Œstrogène : hormone sécrétée par l'ovaire, jouant un rôle dans l'ovulation. Son taux augmente au début de la grossesse. Elle épaissit la paroi de l'utérus, fait enfler les seins et stimule la croissance des ongles et des cheveux.

Périnée : groupe de muscles situés entre le sacrum et le pubis. Ces muscles longs interviennent dans le contrôle de la vessie et peuvent être renforcés par des exercices spécifiques.

Placenta : organe qui se développe dans l'utérus et relie le fœtus à la circulation sanguine de sa mère. Il lui fournit l'oxygène et les nutriments dont il a besoin et élimine ses déchets.

Prééclampsie : état pathologique de la femme enceinte, caractérisée par une hypertension artérielle, la présence de protéines dans les urines

De nombreuses cultures préconisent le confinement de la jeune mère après une naissance pour qu'elle se repose.

et une prise de poids avec œdème, qui peuvent entraîner un retard de croissance chez le fœtus.

Progestérone : hormone sécrétée par l'ovaire, qui favorise la nidation de l'ovule fécondé et la gestation. À partir du 2ᵉ trimestre, le placenta prend le relais et sécrète la progestérone.

Prolactine : hormone qui stimule la production de lait maternel.

Prostaglandine : hormone qui facilite les contractions pendant le travail.

Réflexe de Moro : réflexe qui consiste, pour le nouveau-né, à écarter les bras et à se cambrer en réaction au bruit. Sa présence est l'un des signes que le système nerveux fonctionne.

Siège (présentation en) : position du fœtus à la naissance, qui se tient tête vers le haut et se présente par les fesses (ou les pieds). Si le bébé ne se retourne pas, elle entraîne souvent une césarienne.

Surfactant : substance élastique qui recouvre la paroi des alvéoles pulmonaires du fœtus, essentielle au gonflement des poumons lorsque l'enfant pousse son premier cri.

Syntocinon : ocytocine de synthèse administrée pour déclencher ou renforcer les contractions si le terme est dépassé.

Transversale (présentation) : position horizontale du fœtus peu avant la naissance. Il se retourne parfois lui-même. Dans le cas contraire, une césarienne est préconisée.

Vergetures : petites marques rouges, qui deviennent blanches, sur la peau du ventre ou des seins quand elle se détend au cours de la grossesse.

Vernix caseosa : Substance cireuse et blanchâtre qui recouvre la peau du nouveau-né.

INDEX

T

tache
de naissance 173, 187
pigmentaire (du nouveau-né) 187

terme
calcul du 24-25, 88, 116
dépassé 25, 152–153, 164

test de grossesse 17

thrombose veineuse 107, 229

toxoplasmose 233

transports 45, 106-107

travail (vie professionnelle) 39, 69, 83

trompe de Fallope 20

trou de mémoire 147

trousseau (du bébé) 92-93, 150-151

U

uriner (envie fréquente) 33, 51

V

vacances 82

valise (pour la maternité) 122-123

varicelle 228

varice 120, 129

végétarisme 31

ventouse obstétricale 224

vergeture 67, 121, 245

vernix caseosa 132, 245

vertige 50, 51, 105

vessie 116
comprimée 112

vitamine 31, 53, 81, 129, 143,

vitellus 22

volume sanguin 67

vomissements
de la femme enceinte 36, 49, 60
du bébé 186

voyage 82, 106-107

Z

zygote 20

Ils ont réalisé ce guide

Les auteures

Shaoni Bhattacharya

Consultante pour le *New Scientist,* elle a
rédigé des articles pour divers journaux, dont
Psychologies. Munie d'un diplôme de biologie
de l'Université de Londres, elle vit à Londres
avec son mari, son fils et sa fille.

Claire Cross

Éditrice et auteure, elle a beaucoup travaillé
dans le domaine de la santé, de la grossesse
et du développement de l'enfant, et collaboré
avec de nombreux professionnels de la santé.
Coauteure du *New Mother's Guide,* elle vit
à Londres avec son mari et son fils.

Elinor Duffy

Auteure et éditrice chez Dorling Kindersley
depuis plus de 10 ans, elle collabore avec
divers experts. Elle a trois enfants, nés dans
trois hôpitaux différents, et elle a participé
à de nombreux groupes maman-bébé. Elle vit
à la campagne avec sa famille.

Kate Ling

Titulaire d'une maîtrise d'écriture créative,
elle tient un blog sur la maternité. Son premier
e-book, *Bad Roads,* est sorti en 2012. Elle écrit
et publie également des témoignages et elle
est rédactrice sur Internet. Elle est mariée
et mère de deux enfants.

Susannah Marriott

Auteure spécialisée dans la grossesse,
la puériculture et les médecines douces,
elle a écrit plus d'une vingtaine d'ouvrages.
Ses textes sont publiés dans les magazines
et les journaux les plus connus, elle intervient
à la radio et elle est présente sur plusieurs
sites Internet, babyexpert.com,
mumknowsbest.co.uk, etc. Elle vit en
Cornouailles avec son mari et ses filles.

Les consultants

Michel Rami

Gynécologue obstétricien et praticien
hospitalier, Michel Rami a été pendant 16 ans
chef du service maternité de l'hôpital de
Briançon (Hautes-Alpes). Puis il a exercé
8 ans à la clinique des Bluets (Paris)
avant d'intégrer la maternité de l'hôpital
Delafontaine à Saint-Denis. Il a également été
formateur en gynécologie pour les médecins
généralistes et les internes de spécialité.

Judith Barac

Elle accorde de l'importance au bien-être
psychologique des femmes enceintes autant
qu'à leur bien-être physique. Après avoir
expérimenté toutes les facettes de son métier
de sage-femme, elle s'est tournée, en 1997,
vers la santé mentale périnatale. Actuellement
sage-femme et psychothérapeute, elle vit
à Londres avec son mari et son dernier fils.

Crédits illustrations

Photographie : Claire Cordier, pour son
autorisation de reproduire ses photos (p. 10),
Yew Hedge de chez Longleat House,
Wiltshire (p. 17), Bends Ahead, panneau
et route déserte, Valley of Fire State Park,
Nevada, États-Unis, ainsi que Sadie Thomas
pour son échographie (p. 59).
Toutes les photos supplémentaires :
Dorling Kindersley.

Titre original de cet ouvrage : Pregnancy: The Beginner's Guide
Copyright © 2014 Dorling Kindersley Limited
80 Strand, Londres WC2R 0RL Royaume-Uni,
A Penguin Random House Company

Traduction-adaptation : Elisabeth Luc
Réalisation : Françoise Caille

© 2014, Dorling Kindersley Limited, Londres, pour l'édition originale
Pour l'édition française, © 2014, Éditions Solar, pour la première édition
© 2017, Éditions Solar, pour la deuxième édition
ISBN : 978-2-263-15393-8
Code éditeur : S15393/02
Dépôt légal : janvier 2018

Imprimé en Chine par Hung Hing Offset Printing Company Ltd

Ventes interdites au Québec

Solar | un département | place des éditeurs

A WORLD OF IDEAS: SEE ALL THERE IS TO KNOW
www.dk.com

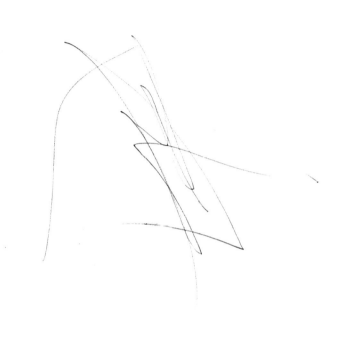